**保存
決定版**

# 人気の
# お菓子

## くり返し作りたい！ あの人に贈りたい！！
## ぜ～んぶ素敵な顔のお菓子ばっかり。

# CONTENTS

## 食べたいものから作ってみてください。楽しみながら作るのが、

# 上達の早道ですから!

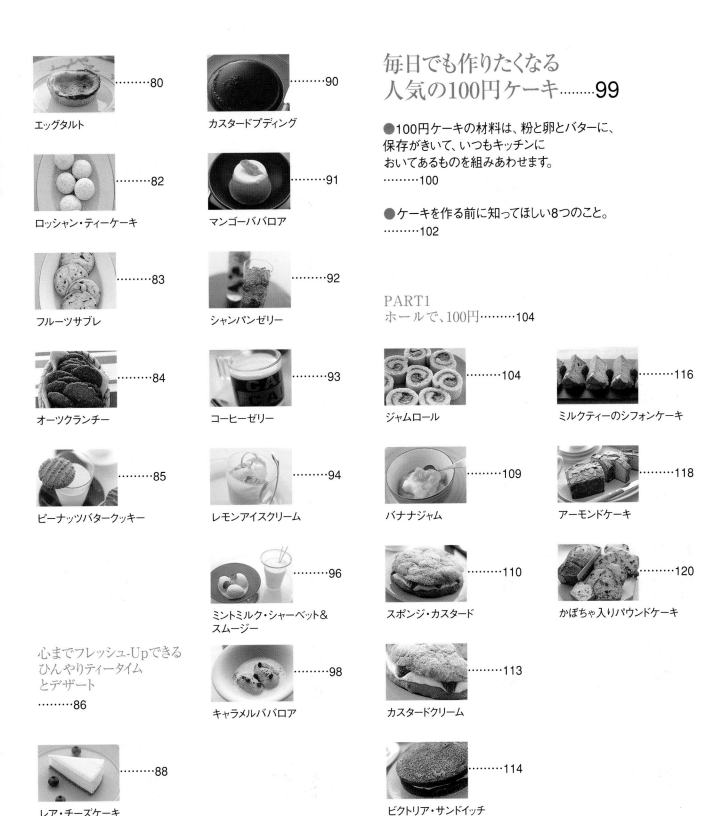

## 毎日でも作りたくなる
## 人気の100円ケーキ………99

●100円ケーキの材料は、粉と卵とバターに、
保存がきいて、いつもキッチンに
おいてあるものを組みあわせます。
………100

●ケーキを作る前に知ってほしい8つのこと。
………102

## PART1
## ホールで、100円………104

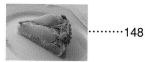

## この本を使う上での約束ごと

**材料について**
●バターは、「人気のお菓子」では食塩不使用バター、「人気の100円ケーキ」では単にバターとある場合は有塩または食塩不使用バターを好みで、バター（食塩不使用バター）とある場合は食塩不使用バターを使うようにしてください。
●卵はLサイズ（卵黄20g・卵白40g）を使用しています。
●甘味をつけるための材料は、「人気のお菓子」ではほとんどの場合グラニュー糖を使用しています。「人気の100円ケーキ」では、砂糖と表記している場合は上白糖、グラニュー糖、三温糖から好みや予算にあわせて選ぶようにしてください。
●お菓子作りでは、卵の卵黄だけを使う場合が多くあります。残った卵白も無駄にならないないように、卵白だけを使うお菓子も多く収録しました。

**計量について**
大さじ1は15ml（15cc）、小さじは5ml（5cc）、1カップは200ml（200cc）です。

**オーブンについて**
●オーブンで焼くときは、天板（オーブンプレート）を中段または下段にセットするのが一般的です。ただし、ロールケーキは上火をきかせたいので、上段にセットするようにします。
●「人気のお菓子」ではガスオーブンを使いました。オーブン温度の表示はガスオーブンを使った場合なので、電気オーブンを使う場合は10℃上げて焼くことをおすすめします。「人気の100円ケーキ」ではガスオーブンと電気オーブンの両方の場合を表示しています。いずれにしてもオーブンの種類や設置状況、季節などによって多少の違いがあるので、オーブン温度と焼き時間の表示は一応の目安と考え、オーブン内の様子を見ながら加減しながら焼くようにしてください。
●焼き型や天板（オーブンプレート）などに敷き込んで使うオーブンペーパーは、シリコン樹脂加工紙です。紙は、わら半紙や製菓用に売られている紙です。

**食べごろと保存について**
食べごろは、好みよって変わります。「常温での保存」は室温15〜18℃を想定していますが、部屋の状況や湿度の具合によって違ってくるので、一応の目安としてください。

# だれもが好きな

# 人気の
# お菓子

# 毎日でも焼いて
# 人気のシンプル

## シンプルケーキについておぼえてほしい5つのこと

### 1.粉類の下準備

小麦粉やベーキングパウダー、ベーキングソーダ、粉砂糖などの粉状のものを、一緒にして加える場合は、あらかじめ混ぜあわせます。

粉類は、万能こし器などで約30cmの高さから2〜3回ふるい落とし、かたまりをほぐすとともに空気を含ませて、他の材料となじみやすい状態にしておきます。

### 2.よく使われる焼き型の種類と名前

丸型

シフォン型

底をはずせる丸型

パウンド型

リング型

角型

タルト型

※シフォン型は、フッ素加工されたものは使えません。

# 食べたい、ケーキ

### 3.焼き型の下準備 (シフォン型、タルト型は下準備の必要はありません。)

バターを塗るやり方は、ケーキ全体においしそうな色がつき、香りよく焼き上がります。
①型の内側全体に室温にもどしたバターを刷毛で塗り、冷蔵庫に入れてバターを冷やし固めます。

②小麦粉(できれば強力粉)を薄くふって、余分な粉をふるい落とします。室内が暑い場合は、使うまで冷蔵庫に入れておきます。

オーブンペーパーを敷くやり方は、あとで型を洗う手間が多少はぶけます。
①パウンド型や角型の場合は、焼き型の底に側面分を足した寸法の長方形や正方形に切り、四隅から底の四隅のところまで斜めの切り込みを入れ、切り込み部分を重ねあわせて長方体にしてから、型に敷き込みます。

②ファン式のオーブンの場合は特に、オーブンペーパーが風にあおられて動きやすいので、重なり部分をホッチキスで留めておきます。ただし焼き上がりに忘れずにとりはずしてください。

### 4.生地の量について

オーブンで焼く間に生地がふくらむので、型に入れる生地の量は型の七～八分目。指定と違う形やサイズの焼き型を使う場合は特に気をつけてください。

### 5.焼き上がりの確認は竹ぐしで

焼き上がりの時間は、オーブンの状態や気候などによって多少の違いがでます。焼き上がったケーキの中央に竹ぐしを刺して、焼け具合をチェックしてください。竹ぐしの先になにもついてこなければ、焼き上がっています。

ラズベ

# 一のショートケーキ

## *Raspberry Fancy Cake*

### 材料（18cmの丸型1個分）

スポンジケーキ
- 卵‥‥‥‥3個
- グラニュー糖‥‥‥‥95g
- バター‥‥‥‥20g
- 薄力粉‥‥‥‥95g

シロップ‥‥‥‥適量

ピンクのクリーム
- 生クリーム‥‥‥‥150ml
- グラニュー糖‥‥‥‥30g
- 冷凍ラズベリー‥‥‥‥80g
- 好みでキルシュ‥‥‥‥大さじ1
- あればクレーム・ド・カシス‥‥‥‥大さじ1

好みでラズベリー‥‥‥‥約40個

●オーブン温度190℃　●焼き時間22～25分
●12等分して1切れ173kcal

● おいしさのプロフィール
土台のスポンジケーキはフワフワの舌ざわりが特徴ですが、それだけでは味わいにとぼしく、舌になじみません。シロップを含ませるように塗って、しっとり感とリキュールの香りをプラス、さらにクリームでコク、フルーツで甘酸っぱさなどをプラスして、ようやく完成したおいしさになります。

　ピンクのクリームをはさむだけで充分なおいしさですが、好みでフレッシュのラズベリーやいちごをプラスすると、豪華になります。

●ケーキをきれいに切り分けるために

①切り分けたケーキの断面の美しさも、おいしさのうちです。ナイフは波刃の細身のものを選び、湯につけて温めます。

②刃についた水気をペーパータオルなどでふきとってから、刃をケーキの中心からスーッと刺し入れ、上下に小刻みに動かしながら切ります。

# 1.下準備をする

①バターは電子レンジか約60℃の湯せんで溶かし、使うまで冷めないようにしておく。
②湯せん用の湯を約60℃にわかす。
③薄力粉はふるう。
④丸型にバターを塗って、強力粉をふる(詳しくはP7参照)
⑤焼くまでに、オーブンを190℃に温める。

# 2.卵を泡立てる

①ボールに卵を入れてほぐし、グラニュー糖を加えて、ボールの底を湯せんにあてながらハンドミキサーで泡立て始める。

③さらに泡立て続け、ハンドミキサーの先で持ち上げて字が書けるくらいになっていれば、OK。完全に冷めるまで、泡立て続ける。

# 3.バターを加える

②だんだんもったりしてきて、ボールの中の温度が約40℃(指をさし込んでみて、やや温かいと感じる温度)になってきたら、湯せんからはずす。

溶かして50℃くらいに温めておいた溶かしバターを、生地の上全体に落とし、手早く混ぜあわせる。

# 4.粉を加える

①薄力粉をふるいながら、ボールの上全体に平均に落とす。

②ゴムべらに持ち替えて、ボールの底から生地を持ち上げるようにして、さっくりと混ぜあわせる。

# 5.型に入れる

型に流し入れ、両手で型を少し持ち上げ、台に4〜5回トントンと打ちつけて、中に入り込んだ空気を抜く。

# 6.焼く

190℃のオーブンで22〜25分焼き、クーラーの上に型ごと逆さにおいて型をはずし、5分ほどしたら上下を返して、完全に冷ます。

●オーブンからとりだして型ごと逆さの状態でおくのは、でき上がりの上面を平らにするため。真ん中がふくらんでいてもかまわないなら、必要ありません。完全に冷めたらラップで包んで常温におき、できれば1日おいたほうが切りやすくなります。

## 7.ピンクのクリームを作る

①冷凍ラズベリーはこして、正味50gを用意する。

②ボールに生クリームとグラニュー糖、ラズベリーのピュレを入れ、大きめのボールに氷水を半分くらいまで入れた上に重ねて、ホイッパーまたはハンドミキサーで角が立ち、その先がおじぎするくらいまで（八分立て）まで泡立てる。好みでキルシュやクレーム・ド・カシスを加えれば、さらにおいしくなる。

## 8.クリームをはさむ

①完全に冷めたスポンジケーキを半分に切り分ける。

②下半分の切り口にシロップを刷毛でたっぷり塗る。

③クリームをのせて、スパチュラで縁まで塗り広げる。
●ピンクのクリームだけをはさんで仕上げる場合は、このときにクリーム全部をのせて。ラズベリーを加える場合は⅓量だけのせるようにします。

④好みでフレッシュ・ラズベリーを入れる場合は、クリームの⅓量を塗り広げた上に縁のほうから同心円状に埋め込むように並べる。

⑤残りのクリームをラズベリーの中心にのせて、縁まで平均に広げる。

●いちごをはさむ場合は、縦半分に切り、切り口を下に向けて並べてください。

⑥もう1枚のスポンジケーキの断面にもシロップを塗ってから、上にかぶせる。

⑦手のひらで軽くおさえてクリームを平均に広げて（ただし、クリームが側面からこぼれ落ちないように気をつけること）、冷蔵庫に約30分以上入れてクリームを落ち着かせる。

●シロップ
耐熱性の小さなボールに水80mlとグラニュー糖40gを入れ、電子レンジ強で30秒加熱。とりだして全体を混ぜ、さらに30秒加熱。冷めたらベリーのショートケーキにはキルシュやフランボワーズ酒、キャラメル風味ならラム酒など、ケーキにあったリキュールを大さじ1ほど加えます。

●食べごろと保存
生クリームをはさんであるので、その日のうちに食べ切ります。スポンジケーキだけなら、ラップで包んで常温で2〜3日、冷蔵庫で4〜5日、それ以上ならフリーザーバッグに入れて冷凍保存が可能。食べる前日に冷蔵庫に移して、解凍します。

バニ

●名前の由来
シフォンは、絹やナイロンなどのふわふわした薄い織りものことで、「きめが細かい」という形容詞としても使われます。このケーキの場合は、ふんわりしていて、スポンジケーキ以上に口あたりがやわらかいことから、創作者自身が名づけたというエピソードが伝わっています。

●おいしさのプロフィール
お菓子は味や香りに加え、見た目もおいしさのうちとされますが、このケーキはその典型的な一例で、背が高く見栄えがします。
　口に入れると、名前の通りのフワフワ感。水分を多く含むので、甘さが控えめに感じられるのも特徴。さらに油脂分としてバターの代わりにサラダ油を使うので、さっぱりした口あたりになっています。
　好みで写真のようにキャラメル風味のクリームを添えると、さらにおいしく味わえます。

# ラ・シフォンケーキ

*Vanilla Chiffon-cake*

## 材料（直径21cmのシフォン型1個分）

A
- 薄力粉………125g
- コーンスターチ………25g
- グラニュー糖………140g
- ベーキングパウダー………小さじ1⅓

B
- サラダ油………70g
- 卵黄………4個
- 水………120ml
- バニラビーンズ………1本

C
- 卵白………5個分
- 塩………少量
- グラニュー糖………40g

好みでキャラメル風味のクリームなど適量

●オーブン温度・160℃　●焼き時間・50〜55分
●16等分して1切れ142kcal

●バニラビーンズ
バニラのさやごと乾燥させたもので、マイルドな
香りがおいしい。1本￥150くらい〜　手に入
らない場合は、バニラビーンズ1本につきバニラ
エクストラ(P27参照)小さじ2で代用してください。

①バニラのさやを
はさみで縦半分に
切り分ける。

②ペティナイフ
などで種だけ
をしごきとる。

# 1.下準備をする

①Aの材料をあわせて、2〜3回ふるう。
②バニラビーンズはナイフで縦半分に切り分け、種をしごきだす。
③焼くまでに、オーブンを160℃に温める。

# 2.生地のベースを作る

①Bのサラダ油と卵黄、水、バニラビーンズは小さなボールなどに入れて、混ぜあわせる。

②大きめのボールにAを入れて中心をくぼませ、Bを加えて、ホイッパーで中心から少しずつ混ぜあわせる。

③全体がこの程度のなめらかさになればよい。

# 3.メレンゲを作る

①水けも油けもないきれいなボールにCの卵白を入れ、ほぐしたらハンドミキサーでゆっくり泡立て始める。卵白に透明な部分がなくなったら塩を加え、さらに泡立てる。

②大きな泡が立ってきたらグラニュー糖40gからひとつまみをとって加え、スピードを上げて泡立て続ける。

③ボールを持って傾け、泡立ったメレンゲがズルッとすべり落ちるくらいが、七分立ての状態。

④七分立ての状態で、残りのグラニュー糖を一度に加える。

⑤さらに泡立て続ける。

⑥ホイッパーで持ち上げて、メレンゲに角が立つのが一応の目安。どの程度のかたさにするかは、作るお菓子によって変わってくるが、シフォンケーキの場合は角の先がおじぎをするくらいのかたさがちょうどよい。

①生地のベースにメレンゲの¼量を加えて、ホイッパーでなじませる。

②残りのメレンゲを一度に加えたら、ゴムべらに持ち替えて混ぜあわせる。

③メレンゲの泡をつぶさないようにしながらも、しっかりと、充分に混ぜあわせる。

# 5.型に入れて、焼く

③160℃のオーブンに入れ、50〜55分かけて焼き上げる。オーブンからだしたら、型ごと逆さにしてプリン型などの上にのせ、完全に冷ます。

●シフォン型の真ん中についている筒状の突起は、生地全体に火の通りをよくするためと焼き上がりのケーキの水分を蒸発させるための工夫です。
　型ごと逆さにしたら、なるべく下からも蒸気が逃げやすい状態にして、生地の中に多く含まれる水分を充分に蒸発させるのがコツ。そのまま半日ほどおくようにします。

①型（フッ素加工ものは不可）に生地を流し入れる。

②型の中心にある筒の先に親指をあてながら両手で持ち、型の底を台にトントンと軽く打ちつける。

# 6.型からとりだす

①ケーキの型の縁からはみでた部分をナイフで切り落とす。

②型とケーキの間に小さなスパチュラかペティナイフをまっすぐさし込み、刃を型にあてながらグルリと回して、切り離す。

③中心の筒のまわりにも竹ぐしをジグジグと刺し込んで、ケーキを型から離す。

④型ごと逆さにして型の外枠をはずし、中底とケーキの間にスパチュラをさし込んで、中底をケーキからはずす。

## 7.好みでキャラメル風味のクリームを作る。

①鍋に水大さじ1½とグラニュー糖50gを入れて弱火にかけ、キャラメル状になったら火を止めて、生クリーム50mlを加えて混ぜあわせ、キャラメルクリームを作る(キャラメルの詳しい作り方はP67参照)。

②ボールに生クリーム150mlとグラニュー糖15gを入れ、氷水にあてながらホイッパーかハンドミキサーで泡立てて、とろみがついたら冷ましたキャラメルクリームを加える。

③さらに八分通りまで泡立てる。

●食べごろと保存
粗熱がとれたら、食べごろ。保存はラップをかけて、常温で3日くらい。暑い時期は、ラップをかけて冷蔵庫に入れます。

# プル・バターケーキ
# とマーブルケーキ

*Buttercake & Marble Cake*

## 材料（20×11×8cmのパウンド型1個分）

バター………180g
グラニュー糖………150g
卵………2個
- 薄力粉………130g
- コーンスターチ………20g
- ベーキングパウダー………小さじ¾
- 塩………少量

牛乳………大さじ3
ココア生地用として
- ココアパウダー………大さじ1⅓
- グラニュー糖………大さじ1
- 湯………大さじ1

●オーブン温度・180℃
●焼き時間・45〜50分
●13等分して1切れ212kcal

● 名前の由来
マーブルケーキという名前は、バター風味の白い生地とココア風味の茶色い生地を混ぜあわせて焼き込むため、焼き上がりをスライスすると、断面がマーブル（大理石）のような模様になるところから生まれました。

●おいしさのプロフィール
コクのあるおいしさ、甘すぎない甘さ、焼き菓子特有の香ばしさ、さらにしっとりした舌ざわり……バターと砂糖と卵のシンプルで、おいしい組みあわせを楽しむ、焼き菓子の基本です。
　バター風味の生地だけで焼けば、シンプル・バターケーキ。生地の一部にココアをプラスすると、マーブルケーキになります。

## 1.下準備をする

①バターは室温にもどして、やわらかくする。
②パウンド型にバターを塗って、強力粉を薄くふる。(詳しくはP7参照)
③薄力粉とコーンスターチ、ベーキングパウダー、塩はあわせて、一緒にふるう。
④焼くまでに、オーブンを180℃に温める。

## 2.バターを練って、砂糖と卵を加える。

①バターは使う30分前には冷蔵庫からだしておき、室温にもどす。指で押してみて、あとがつくくらいが目安。ベシャッとつぶれるようなら、やわらかすぎ。

③バターの中に空気を入れ込むような感じで練り、白っぽくフワッとした状態になったらグラニュー糖150gを3回くらいに分けて加え、さらに混ぜあわせる。

②ボールにバターを入れ、ハンドミキサーで最初はゆっくり練り、均一なやわらかさになったら、スピードを上げていく。

●室温が高くてマヨネーズのような状態になるようなら、ボールの底を水にあてるか冷蔵庫に入れて、少し冷やしてください。

④卵をときほぐしてから、少しずつ加え、そのつどよく混ぜあわせる。

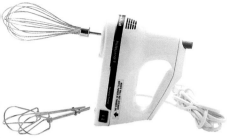

●ハンドミキサーはホイッパーつきが便利
2本のビーターに加えて、泡立て用のホイッパーが1本
ついたタイプがおすすめ。特にP26のバナナブレッドの
ように、バターを練ったあとでメレンゲを作って加える場
合は、途中でビーターを洗う手間がはぶけるので便利
です。写真のものはアメリカ製(KitchenAidキッチンエ
イド)のものですが、日本ではCuisinartクイジナートの
ものが手に入ります。商品名クイジナート　スマート　パ
ワーハンドミキサー　問い合わせ先:クイジナート・サ
ンエイ☎0120-191-270

●卵を一度に多く加えると、バターが分離してしまいま
す。10回くらいに分け、少しずつ少しずつ加えるのがコツ。

# 3.粉類と牛乳を交互に加える

①粉類の⅓量を加え、ゴムべらで全体に混ぜあわ
せる。

②牛乳の½量を加えて、混ぜあわせる。さらに残
りの粉類の½量、残りの牛乳、粉類の順で加え、
そのつど手早く、全体に混ぜあわせる。
●牛乳は、焼き上がりの舌ざわりをやわらかくするためのもの。一度に加え
ると分離するので、2回に分けて加えるのがコツです。

# 4.シンプル・バターケーキの
# 　場合は、型に入れる

①型に生地をゴムべらで全部入れて、四隅までし
っかりと詰める。

②型を両手で持ち、台にトントンと軽く打ちつけて、
生地と生地の間に入り込んだ空気を抜く。

# 4.マーブルケーキの場合は、茶色い生地を作ってから、型に入れる

①ココア生地用のココアパウダーとグラニュー糖、湯を小さなボールなどに入れて、ダマにならないようによく混ぜあわせる。

②生地の⅓量を別のボールにとり分け、ココア液を加え混ぜて、茶色い生地を作る。

③焼き型に白い生地と茶色い生地を少しずつ、まだらになるように入れる。全部入れ終ったら、型をトントンと軽く台に打ちつけて、生地を落ち着かせる。

● このとき、いちばん上は白い生地が多めになるように入れるのがポイント。

④小さめのスパチュラや割りばしなどを生地にさし込み、らせん模様を描くようにして、2色の生地を混ざりあわせる。

⑤型を両手で持ち上げ、20cmくらいの高さから3〜4回落として、2つの生地のすき間を埋め、なじませる。

## 5.焼き上げる

①180℃のオーブンで45〜50分焼く。

②クーラーの上におき、粗熱がとれたら型からはずし、完全に冷ます。

●食べごろと保存
焼き上がったらすぐ食べられますが、翌日のほうが味
がなじんでおいしくなります。保存はラップで包んで、
常温で約1週間。それ以上もたせたい場合はラップ
に包んでフリーザーバッグなどに入れ、冷凍庫に。食
べる前日に冷蔵庫に移して、解凍します。

●名前の由来
ブレッドといっても、砂糖が入った、いわゆるケーキです。イギリスでティータイムに食べられるケーキにティーブレッドと呼ばれる種類のものがあり、その多くはドライフルーツなどを入れて、ローフと呼ばれるパウンド型で焼かれ、パン代わりにもなるボリューム感が特徴です。
　バナナを焼き込むこと、パウンド型で焼き上げ、スライスして食べることなど、ティーブレッドの伝統をひいていることから、ブレッドと呼ばれています。

●おいしさのプロフィール
バナナの持つ自然の甘味と香ばしさ、さらにフワフワでありながら、舌になじむしっとり感……やさしいおいしさを味わえます。

# バナナブレッド
## *Banana Bread*

### 材料（20×11×8cmのパウンド型1個分）

バター………145g
グラニュー糖………100g
ブラウンシュガー………50g
卵黄………2個
バナナ（完熟・正味）………225g
サワークリーム………40g
レモンの皮のすりおろし………1個分
バニラエクストラ………小さじ1
薄力粉………180g
コーンスターチ………20g
ベーキングパウダー………小さじ¾
ベーキングソーダ（重曹）………小さじ1
卵白………2個分
塩………少量
グラニュー糖………20g

●オーブン温度・180℃
●焼き時間・50〜55分
●13等分して1切れ232kcal

●バナナはスウィートスポットができてから
バナナは一般に未熟状態で売りにだされます。買ったら室温におき、皮の表面にスウィートスポットと呼ばれる黒い斑点がで始めるまで待つこと。いい香りがしてくる、完熟の状態のバナナを使うことが、香りのよいバナナブレッドを焼き上げる第一のコツです。

●バニラエクストラ
天然のバニラビーンズからエッセンスを抽出して、アルコール液に溶かしたもの。バニラビーンズの代用としても使えます。似たようなものに合成香料のバニラエッセンスがありますが、代用としては使いません。

## 1.下準備をする

①バターは室温にもどして、やわらかくする。
②薄力粉とコーンスターチ、ベーキングパウダー、ベーキングソーダはあわせて、2回ふるう。
③パウンド型にバターを塗って、強力粉をふる。
（詳しくはP7参照）
④焼くまでに、オーブンを180℃に温める。

## 2.バナナ・ミクスチャーを作る

小さめのボールに完熟バナナとサワークリーム、レモンの皮、バニラエクストラを入れ、フォークでバナナをつぶし、全体を混ぜあわせる。

## 3.バターを練って、砂糖と卵黄を加える。

①別のボールにバターを入れてハンドミキサーで練り、白っぽくフワッとした状態になったらグラニュー糖100gとブラウンシュガーを3回くらいに分けて加える。

②卵黄を1個ずつ加え、そのつど充分に混ぜあわせる。

●次のメレンゲを作るときにも同じハンドミキサーのビーターを使う場合は、ここできれいに洗い、水気を完全にふいてください。

## 4.メレンゲを作る

水けも油けもないきれいなボールに卵白を入れ、ハンドミキサーでほぐしたら塩を加え、ゆっくり泡立て始める。
　泡立ってきたらグラニュー糖20gのうちからひとつまみを加え、さらに泡立てる。七分立てになったら残りのグラニュー糖を加え、角がまっすぐ立つまでかたく泡立てる。（詳しくはP16参照）

## 5.バナナ・ミクスチャーと粉類、メレンゲを交互に加える

①3のボールにバナナ・ミクスチャーを加え、ゴムべらで全体に混ぜあわせる。

②粉類の½量を加え、ゴムべらで全体を混ぜあわせる。

③メレンゲをホイッパーでもう一度泡立ててから、その½量を加え、よく混ぜあわせる。

④残りの粉類、残りのメレンゲの順に加え、そのつどゴムべらで泡をつぶさないようにさっくりと、充分に混ぜあわせる。

●メレンゲを混ぜ込むときは、「メレンゲの泡をつぶさないこと」が大切ですが、充分に混ぜ込まないと、口ざわりがフワッと焼き上がりません。手早く、しかも充分に混ぜ込むようにしてください。

①型に生地を入れ、四隅までしっかりと詰める。

②ゴムべらで表面をならしてから、中央部分を縦長にくぼませる。

●オーブンの中で生地は外側から火が通っていくので、中央部分が押し上げられ、割れ目ができやすくなります。これを防ぐために、しっかりと縦長の筋をつけておきます。

③180℃のオーブンで50〜55分かけて焼く。

④クーラーの上におき、粗熱がとれたら型からはずし、完全に冷ます。

●食べごろと保存
3日目が味がなじんで香りもよく、いちばんおいしい。保存はラップで包んで、常温で。それ以上もたせたい場合は、ラップに包んでフリーザーバッグに入れ、冷凍庫に。食べる前日に冷蔵庫に移して、解凍します。

# 黒ごまのトルテ

## *Black Sesame Torte*

●おいしさのプロフィール
もともとはポピーシードを使って作られるケーキですが、手に入りにくいので黒ごまにしてみました。ペースト状態でたっぷり入っているので、しっとりした舌ざわりに焼き上がり、黒ごまの風味ともあいまって、和菓子を食べているような印象を受けます。

## 1.下準備をする

①バターは室温にもどして、やわらかくする。
②薄力粉はふるう。
③丸型にバターを塗って、強力粉をふる。（詳しくはP7参照）
④焼くまでに、オーブンを200℃に温める。

## 2.バターを練って、砂糖、卵黄、黒ごまペーストを加える。

ボールにバターを入れてハンドミキサーで練り、白っぽくフワッとした状態になったらグラニュー糖100gを2回に分けて加え、さらに卵黄を1個ずつ、黒ごまペースト、牛乳の順に加えて、そのつど混ぜあわせる。

## 3.メレンゲを作る

別のボールに卵白とグラニュー糖50gを入れ、ハンドミキサーで角が立つまでしっかりと泡立てる。（詳しくはP16参照）

## 4.メレンゲと粉類を交互に加える

①メレンゲの½量を2のボールに加え、ゴムべらで手早く混ぜあわせる。
②薄力粉を加え、ゴムべらで全体を混ぜてから、残りのメレンゲを加えて混ぜあわせる。

## 5.型に入れて、焼く

①生地を型に入れて、表面を平らにならす。
②200℃のオーブンで10分焼いたら170℃に下げて、さらに25〜30分焼く。
③クーラーの上におき、粗熱がとれたら型からはずし、冷ます。

●黒ごまペースト
黒ごまをペースト状にすりおろしたもの。びん詰や缶詰がある。

## 材料（直径20cmの丸型1個分）

バター………150g
グラニュー糖………100g
卵黄………3個
黒ごまペースト（黒練りごま）………140g
牛乳………大さじ1
┌ 卵白………3個分
└ グラニュー糖………50g
薄力粉………50g

●オーブン温度と焼き時間・200℃で10分、170℃に下げて25〜30分
●16等分して1切れ191kcal

●食べごろと保存
2日目がいちばんおいしい。保存はラップで包んで、常温で4日。それ以上もたせたい場合は、ラップに包んでフリーザーバッグなどに入れ、冷凍庫に。食べる前日に冷蔵庫に移して、解凍します。

## 材料（直径18cmのリング型1個分）

バター………125g
グラニュー糖………90g
オレンジの皮のすりおろし………½個分
卵黄………2個
- 薄力粉………110g
- ベーキングパウダー………小さじ½
- ベーキングソーダ（重曹）………小さじ½

プレーンヨーグルト………100g
- 卵白………1個分
- 塩………少量
- グラニュー糖………10g

好みでチョコチップ………50g
仕上げのシロップ
- オレンジの絞り汁………½個分
- レモンの絞り汁………½個分
- グラニュー糖………40g

● オーブン温度・170℃　● 焼き時間・23〜25分
● 14等分して1切れ157kcal

● おいしさのプロフィール
焼き菓子は外側全体が香ばしく、カチッとかたく焼き上がるのがおいしさのひとつですが、一方でしっとりとした舌ざわりのソフトな焼き上がりを好むひとたちも意外に多いものです。
このお菓子もその一例で、焼き上がりにオレンジとレモンの絞り汁をかけて全体に含ませて仕上げます。
オレンジの香りとレモンのさわやかな酸味、そしてしっとり感を楽しめます。

## 1.下準備をする

① バターは室温にもどして、やわらかくする。
② 薄力粉、ベーキングパウダー、ベーキングソーダはあわせて、ふるう。
③ オレンジはゆでこぼして洗い、ワックスをとってから皮をすりおろす。
④ シロップ用のオレンジ汁とレモン汁を小鍋に入れ、グラニュー糖40gも加えておく。
⑤ リング型にバターを塗って、強力粉をふる。（詳しくはP7参照）
⑥ 焼くまでに、オーブンを170℃に温める。

## 2.バターを練って、砂糖と卵黄、オレンジの皮を加える。

ボールにバターを入れてハンドミキサーで白っぽくフワッとした状態になるまで練ったら、グラニュー糖90gを2回に分けて加えてさらに混ぜあわせ、オレンジの皮、卵黄を1個ずつの順に加え、そのつどよく混ぜあわせる。

## 3.粉類とヨーグルトを加える

① 粉類を加え、ゴムべらで全体を混ぜあわせる。
② ヨーグルトを加えて、混ぜあわせる。

## 4.メレンゲを加える

別のボールで卵白と塩、グラニュー糖10gをかたい角が立つまで泡立て（詳しくはP16参照）、3のボールに加えて手早く混ぜあわせる。

## 5.好みでチョコチップを加える

市販品のチョコチップ、なければセミスウィートチョコレートを刻んで、生地に加え混ぜる。

## 6.焼き上げて、シロップを含ませる

① 生地を型に入れて表面を平らにならし、170℃のオーブンで23〜25分焼く。
② ケーキが焼き上がる10分前に、シロップ用の小鍋を火にかけ、木べらで混ぜながら½量になるまで煮詰める。
③ 焼き上がったケーキをクーラーの上で型からだし、すぐ熱いシロップを刷毛で全体に含ませ、そのまま冷ます。

● 食べごろと保存
ケーキが完全に冷めて、シロップがなじんだら食べごろ。シロップを含む分日保ちがしないので、その日か次の日には食べ切るようにします。

*Orange Cake*

オレンジケーキ

● 名前の由来
フランス語で「金融家」とか「金持ち」という意味。外側もケーキの断面も
黄金色で、形が金の延べ棒のように見えるところからつけられました。

● おいしさのプロフィール
一般にはフィナンシエ型と呼ばれる小さな型で焼かれることが多いのですが、
パウンド型で大きく作りました。こちらのほうがベーキングパウダーも入るので、
しっかりと焼き上がります。
食べるとムッチリした舌ざわりで、アーモンドの粒粒もかすかに感じられて、
それも魅力のひとつになっています。

# フィナンシエ
## *Financier*

### 材料（21×8×6cmのパウンド型1個分）

アーモンドスライス………75g
薄力粉………75g
ベーキングパウダー………小さじ¼弱
粉砂糖………140g
卵白………120g
バニラビーンズ………½本
はちみつ………15g
バター………100g

●小さなフィナンシエ型を使う場合は、220℃で4〜5分、180℃に下げて7〜10分焼いてください。

●オーブン温度と焼き時間・220℃で5〜6分
180℃に下げて30分
焼き色を見て160℃に下げながら8分
●20等分して1切れ106kcal

---

### 1.下準備をする

①アーモンドスライスを天板に広げて、150℃のオーブンで約10分乾燥焼きにする。

②バターを小鍋に入れ、弱火にかけてゆっくりと火を通し、はしばみ色になるまで煮詰めたらペーパータオルでこし、使うまで約60℃に温めておく。これをノワゼット・バターと呼び、詳しくはP69参照。

③バニラビーンズは縦半分に切り分け、種をしごきだす（詳しくはP15参照）。手に入らない場合はバニラエクストラ小さじ1で代用する。

④パウンド型にバターを塗って、強力粉をふる。（詳しくはP7参照）

### 2.生地を作る

フードプロセッサーに乾燥焼きしたアーモンドスライスと薄力粉、ベーキングパウダー、粉砂糖を入れてまわし、アーモンドが粉状になったら卵白、バニラビーンズ、はちみつ、ノワゼット・バターを加えて、なめらかになるまで混ぜあわせる。

●フードプロセッサーがない場合は、アーモンドをナイフなどでごくごく細かく刻んでください。

### 3.生地をやすませる

型に生地を流し入れ、そのまま10〜15分おいてやすませる。

### 4.焼く

①220℃のオーブンに入れ、5〜6分焼いたら180℃に下げて30分、さらに焼き色を見て160℃に下げながら8分焼く。
②クーラーにのせ、粗熱がとれたら型からはずし、完全に冷ます。

●食べごろと保存
3日目がいちばんおいしい。保存はラップに包んで、常温で5日間。それ以上もたせたい場合は、フリーザーバッグなどに入れて冷凍庫に。食べる前日に冷蔵庫に移して、解凍します。

# ふんわりベーク

# ド・チーズケーキ
## Baked Cheesecake

## 材料（18cmの丸型1個分）
スポンジケーキ………直径
18cmで厚さ1cmのもの1枚
チーズ生地
　クリームチーズ………250g
　グラニュー糖………100g
　バニラビーンズ………1本
　コーンスターチ………大さじ1
　卵………2個
　塩………少量
　サワークリーム………300g

●オーブン温度・180℃　●焼き時間・45分
●12等分して1切れ216kcal

### 1.下準備をする

①クリームチーズとサワークリームは室温
にもどして、やわらかくする。
②卵は溶きほぐす。
③バニラビーンズは縦半分に切り分け、
種をしごきだす（詳しくはP15参照）。ない
場合はバニラエクストラ小さじ2で代用。

④スポンジケーキはP10を参照して焼い
たものを用意し、1cm厚さに切り分ける。
残りはほかに使う。

### ●おいしさのプロフィール
湯せんの状態で焼き上げるので、まさにとろけるような舌ざわり。ナイフでは
切り分けられないほどやわらかいので、てぐすや絹糸を使ってください。

⑤焼き型は底をはずせる丸型を使用。側
面にバターを薄く塗り、底にオーブンペー
パーを直径18cmに切ったものを敷き、さ
らに外側をアルミホイル2枚でおおう。

⑥焼くまでに、オーブンを180℃に温める。
⑦湯せん用の湯をわかす。

### 2.生地を作る

①ボールにクリームチーズを入れてハン
ドミキサーでやわらかく練ったら、グラニ
ュー糖、バニラビーンズ、コーンスターチ、
卵、塩の順に加えて、なめらかに混ぜあ
わせる。

②サワークリームを加え、全体によく混
ぜあわせる。

### 3.型に流して、焼く

①型に切り分けたスポンジケーキを敷き
込み、生地を流し入れる。

②型を天板においてわかした湯を2cmく
らいはり、180℃のオーブンで45分焼い
たら火を止め、そのまま30分オーブンの
中においておく。

③クーラーの上において冷まし、完全に
冷めたらラップをかけて冷蔵庫に入れて
ひと晩冷やし固める。
④やわらかいので、釣り用のてぐすか絹
糸で切り分ける。

### ●食べごろと保存
冷蔵庫でひと晩冷やしたら、食べごろ。保存はラップ
に包んで、冷蔵庫で3日くらい。それ以上もたせたい
場合はラップで包んでフリーザーバッグに入れ、冷凍
庫に。食べる前日に冷蔵庫に移して、解凍します。

# レモンタルト

*Tarte au Citron*

## 材料（直径20cmのタルト型1個分）

タルト生地
- バター………75g
- 粉砂糖………40g
  - 卵黄………1個
  - 牛乳………小さじ1
- 薄力粉………125g

レモンカード
- 卵黄………3個
- グラニュー糖………85g
- レモンの絞り汁………65ml
- バター………45g
- レモンの皮のすりおろし………1個分

● オーブン温度と焼き時間・空焼きは230℃で5分
　　180℃に下げて15〜20分　仕上げは150℃で5〜6分
● 16等分して1切れ137kcal

● おいしさのプロフィール
空焼きしたタルトケースに、レモンカードを流してさっと焼き上げたタルト。やわらかいフィリングは、レモンの風味たっぷりですが、やや甘酸っぱいので、タルトケースよりやや厚めの7mmくらいの厚さに流すのがポイント。サクサクしたタルトケースとの組みあわせを楽しみます。

## 1.下準備をする

①バターは室温にもどして、やわらかくする。
②卵黄と牛乳は混ぜあわせる。
③粉砂糖と薄力粉は、それぞれふるう。
④焼くまでに、オーブンをタルトケースの空焼き用
には230℃、仕上げ用には160℃に温める。

## 2.タルト生地を作る

①バターをボールに入れ、ハンドミキサーで練る。

②粉砂糖を加えて、軽く混ぜあわせる。

③卵黄十牛乳を2〜3回に分けて加え、そのつど
全体に充分に混ぜあわせる。

④ふるっておいた薄力粉を加える。

⑤ゴムべらに持ち替えて、粉を全体に混ぜあわせる。

⑥粉っぽさがなくなったら、生地を底のほうからゴ
ムべらですくうように持ち上げ、ボールの底に押し
つけるようにして、ゴムべらの面ですりあわせる。

⑦生地がなめらかになったら円形に整えて、ラップに包み、冷蔵庫で最低3時間はやすませる。
●この状態で冷蔵庫に入れておけば、3日くらいは大丈夫。それ以上持たせたい場合は冷凍庫に入れ、使う前日に冷蔵庫に移して解凍します。

# 3.タルト生地をのばす

①やすませた生地がかたすぎるときは、ラップを開いて少し室温においてから、打ち粉を薄くまぶし、めん棒で軽くたたいて、のばしやすいやわらかさにする。

②オーブンペーパーを30×30cmの大きさに2枚切り分け、間に生地はさんで、めん棒でのばす。

③生地がペーパーにくっつきやすいので、ときどきペーパーをはがして、打ち粉を薄くはたき、「生地の裏表を返しては、のばす」の作業をくりかえし、直径27〜30cmの円形のばす。
●この段階で生地がやわらかくなるようなら、冷蔵庫に入れて冷やし固めながらのばすようにします。

●打ち粉
生地がオーブンペーパーやめん棒にくっつかないようにするのが目的。必ず刷毛を使い、薄くはたくように使うのがコツ。できればサラサラしている強力粉を使います。

# 4.タルト生地を型に敷く

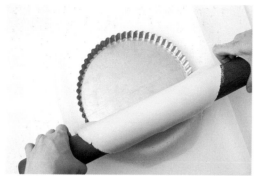

①直径27～30cmの円形にのばした生地を、打ち粉を薄くはたいためん棒で巻きとって、型の上にたるませるようにしながら静かに広げる。

②まず型の底に沿わせ、つぎに側面に沿わせて、手早く敷き込む。

③型の上にめん棒をころがして、余分な生地を切り落とす。

④型の側面に沿った生地を親指と人さし指でつまんで、型より少しでるくらいまでのばす。

⑤型の縁からとびでた生地をナイフで切り落とす。

⑥底の部分全体にフォークを刺してから、冷凍庫に30分入れて冷やし固める。

# 5.タルトケースを空焼き にする

230℃に温めたオーブンに入れ、5分焼いたら一度とりだして、縁の部分に2枚重ねにしたアルミホイルのカバーをかぶせ、180℃に下げたオーブンでさらに15～20分、底の部分がきつね色になるまで焼き、クーラーの上にのせて冷ます。

# 6.レモンカードを作る

①厚手の鍋に卵黄とグラニュー糖、レモン汁とバターを入れて弱火にかけ、ホイッパーで絶えず混ぜながら火を通す。

②スプーンの背にしっかりとコーティングできるくらいまでとろみがついたら火からおろし、レモンの皮を加え混ぜる。

# 7.タルトケースに詰めて、焼く。

①空焼きしておいたタルトケースにレモンカードを流し入れる。

②150℃のオーブンで5～6分焼き、クーラーの上にのせて粗熱がとれたら型からはずし、完全に冷ます。

●切り落とした生地でクッキーを
残ったタルト生地は集めて、もう一度めん棒で2mm厚さにのばして型で抜き、170℃くらいのオーブンで10分ほど焼けば、クッキーのでき上がり。P58のチョコレートタルトのように飾りとしても使えます。

●食べごろと保存
完全に冷めたら食べられ、焼いたその日のうちがおいしい。保存はアルミホイルをかけて冷蔵庫に入れて、2日が限度です。

# パンプキンパイ

## Pumpkin Pie

### 材料（直径20cmのパイ皿1個分）

パイ生地
- 薄力粉………140g
- 塩………小さじ¼
- バター………85g
- 冷水………大さじ2〜2⅔
- 酢………小さじ1

フィリング
- かぼちゃ（正味）………300g
- バター………20g
- グラニュー糖………10g
- ブラウンシュガー………50g
- シナモンパウダー………小さじ½
- メープルシロップ………大さじ1½
- 薄力粉………大さじ1
- 卵………1個
- 生クリーム………50ml

●オーブン温度と焼き時間
　パイケースは190℃で約25分
　仕上げは190℃で35〜40分
●16等分して1切れ138kcal

●アルミの小石（タルトストーン）
パイ生地やタルト生地を空焼きするときに、生地が持ち上がらないようにのせて使う、専用の重石。あずきや米粒でも代用できます。

## 1.下準備をする

①薄力粉はふるう。
②パイ生地用のバターは1cm角に切って、冷蔵庫で冷やし固める。（詳しくはP68参照）
③冷水と酢をあわせる。
④焼くまでに、オーブンを190℃に温める。

● おいしさのプロフィール
さっぱりした塩味のパイケースのサクサクした歯ざわりと、たっぷり焼き込んだかぼちゃのまろやかな味と舌ざわりの組みあわせを楽しみます。

## 2.パイ生地を作る

①ボールに薄力粉と塩を入れて混ぜ、バターを加えて、パイカッターでバターを粉の中に切り込む。

②バターがあずきくらいの大きさになり、全体がそぼろ状になればよい。

⑤もう一度フリーザーバッグに戻して、上から軽く練る。

③ジッパーつきのフリーザーバッグに入れて、空気を抜きながらジッパーを閉じ、袋の上からめん棒をころがしてフレーク状にのばし、そのまま冷凍庫に入れる。

⑥台の上にとりだして円形に整え、ラップに包んで、冷蔵庫で1時間やすませる。

④10分ほど冷やしたら中身をボールにあけ、冷水＋酢を散らすように加え、ゴムべらで練らないように混ぜる。

●食べごろと保存
アルミホイルふわりとかけるくらいで、常温で保存。焼き立てがいちばんおいしく、次の日に食べる場合は180℃くらいのオーブンで温める程度に焼き、パイをカリッとさせて食べたほうがいちだんとおいしい。それ以上長くもたせたい場合は、1人分ずつに切り分けてラップに包み、フリーザーバッグに入れて冷凍庫に。食べるときは、ホイルに包んで、180℃のオーブンで15分焼きます。

## 3.パイ生地をのばして、型に敷く

①P39のタルト生地の場合を参照して、パイ皿よりふたまわりほど大きい直径30cmの円形にのばす。

②パイ皿の上に生地をのせてピッタリと沿わせたら、縁からはみだした余分な生地をナイフで切り落とす。

③縁の部分を指でつまんで飾りをつけ、底にフォークで穴をあけてから、ラップに包んで冷蔵庫で半日ほどやすませる。

## 4.パイケースを空焼きにする

①パイケースに直径25cmくらいの円形に切ったオーブンペーパーをかぶせてから、アルミの小石をのせる。

②190℃のオーブンに入れ、12～15分焼いたらアルミの小石をオーブンペーパーごとはずし、さらに10分焼いて、クーラーの上で冷ます。

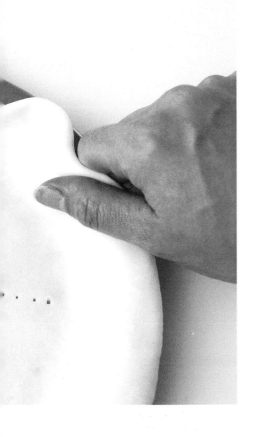

## 5.フィリングを作る

①かぼちゃは種をわたごととり除いてから、くし形に切り、蒸し器で竹ぐしがスゥーッと通るまで蒸す。

②熱いうちに皮から身をこそげとって、正味300gを用意する。

③フードプロセッサーに熱いかぼちゃを入れてバターを加え、余熱で溶かしたらグラニュー糖、ブラウンシュガー、シナモンパウダー、メープルシロップ（なければはちみつで代用）、薄力粉、卵、生クリームを順に加えて混ぜあわせ、ボールにあけて完全に冷ます。

●フードプロセッサーがない場合は、かぼちゃをマッシャーでつぶしてから、木べらで混ぜあわせます。

## 6.フィリングを入れて、焼く

①パイケースの中にフィリングを中央が高くなるように入れて、表面をならす。

②好みで残ったかぼちゃの皮を型で抜いて飾り、190℃のオーブンで35～40分かけて焼き、型ごとクーラーにのせて完全に冷ます。

●途中で縁がこげそうになったら、レモンタルトの場合と同様にアルミホイルでカバーします。（詳しくはP41参照）

# プラムのクラフティ

## Clafoutis

●おいしさのプロフィール
フランスのリムーザン地方で生まれた素朴な焼き菓子（アントルメ）で、特産のブラックチェリーを焼き込みます。ここでは一年じゅういつでも作れるように、乾燥プラムを使いました。ブラックチェリーを使う場合は軸だけをはずして、同様にして焼き上げます。

## 材料（容量460mlのグラタン皿1個分）

卵………2個
グラニュー糖………95g
薄力粉………50g
牛乳………250ml
塩………少量
バター………15g
乾燥プラム………8個

●オーブン温度・180℃
●焼き時間・40分
●12等分して1切れ95kcal

●ケーキのように切り分けても
焼き上がりは型からはずしやすいので、切り分けて、ケーキのように食べることもできます。

## 1.下準備をする

①バターは小さなガラスのボールなどに入れて、湯せんか電子レンジで溶かす。
②薄力粉はふるう。
③グラタン皿の内側にバターを薄く塗る。
④焼くまでに、オーブンを180℃に温める。

## 2.生地を作る

①ボールに卵とグラニュー糖を入れて、ホイッパーで混ぜあわせる。

②薄力粉、牛乳、塩、溶かしバターを順に加えて、なめらかに混ぜあわせる。

## 3.耐熱皿に入れて焼く

グラタン皿に乾燥プラムを散らして生地を流し入れ、180℃のオーブンで40分焼く。

●食べごろと保存
焼き上がって、なま温かいくらいがいちばんおいしい。保存はラップをかけて、冷蔵庫に入れ、次の日には食べ切るようにします。

●おいしさのプロフィール
クッキーの一種ですが、たっぷり焼き込んだくるみの渋みが大人の味をかもしだしています。
さらに底の部分がバタースカッチ状になって、香ばしさをダブルで味わえます。

# くるみの ショート ブレッド

*Walnuts Shortbread*

## 材料（18×18cmの角型1個分）

バター………125g
ブラウンシュガー………70g
塩………小さじ⅙
バニラエクストラ………少量
薄力粉………125g
くるみ………60g

●オーブン温度・180℃　●焼き時間・22〜25分
●18等分して1切れ115kcal

## 1.下準備をする

①バターは室温にもどして、やわらかくする。
②くるみは150℃のオーブンで15分ほど乾燥焼きし、冷めてからみじん切りにする。
③角型にオーブンペーパーを敷く。
④焼くまでに、オーブンを180℃に温める。

## 2.生地を作る

①ボールにバターを入れてハンドミキサーで練ったら、ブラウンシュガーを加えて充分にすり混ぜ、塩、バニラエクストラを順に加えて混ぜあわせる。

②薄力粉を加えたらゴムべらに持ち替えてしっかりと混ぜあわせ、くるみを加え混ぜる。

●食べごろと保存
完全に冷めたら、食べごろ。保存は密閉容器に入れて、常温で2週間くらい。

## 3.型に敷く

型に生地を入れ、ラップなどをかけて上からフライ返しやマッシャーなどでおさえてしっかりと敷き詰め、冷蔵庫で1時間やすませる。

## 4.焼く

①180℃のオーブンで15分焼いたらオーブンからだし、ペティナイフで横に3等分縦に6等分の切り込みを入れ、それぞれにフォークで刺して模様をつける。

②もう一度オーブンに戻してさらに8〜10分焼き、焼き上がったら切り込みにもう一度ナイフを入れて切り離す。

# バレンタインデ
# ラブリー・チョコレ
# シックなチョコレ

## チョコレートについて知ってほしい2つのこと

### 1.チョコレート作りの材料について

お菓子作りに使うチョコレートは、クーベルチュールという表示のついた、菓子製造用の良質なチョコレートを選んでください。

**●スウィートチョコレート**

カカオバターとカカオマスに砂糖を加えたもの。メーカーによって、風味や砂糖含有量などが異なり、また呼び方も異なります。できればタブレット状のものが溶かしやすく便利です。

なお、この本ではセミスウィートとビタースウィートを使っていますが、ビタースウィートが手に入らない場合はセミスウィートを使い、グラニュー糖を少し減らしてください。

菓子製造用のクーベルチュールが手に入らない場合は、お菓子として売られている板状のダークチョコレート（できればスイスやフランス製の上等のもの）を使ってください。

**●カカオマス**

チョコレートの原料になるカカオ豆の胚乳をすりつぶして乾燥し、固めたもので、苦味があります。溶かしやすい粒状のものが便利です。

手に入らない場合は、ビタースウィートチョコレートやお菓子として売られている板状のダークチョコレートで代用。セミスウィートチョコレートでも代用できますが、その場合は砂糖の量を10％減らすようにしてください。

**●ココアパウダー**

カカオマスから脂肪分を除いたあとで粉末にしたもの。製菓用として売られるもののほか、無糖の飲用のものを使うこともできます。

# のための、
# トと
# ートケーキ

## 2.湯せんのこと

チョコレートはほとんどの場合、（特にこの本では多くの場合バターと一緒に）湯せんで溶かしてから使います。
①チョコレートが板状の場合は、ナイフで同じ大きさになるように気をつけて、細かく刻む。

②チョコレートをボールに入れ、約60℃に沸かした湯の上にのせる。このときボールと鍋の間にすき間があかないことが大切。60℃という温度は、「コーヒーや紅茶を飲むときにいちばんおいしい温度」とおぼえておくと、温度計がなくてもわかる。

③しばらくおいてチョコレートが溶けてきたら、ゴムべらで静かに混ぜる。

④完全に溶けたら湯せんからはずし、なめらかになるまで練る。

## 材料（直径18cmの丸型1個分）

- セミスウィートチョコレート………190g
- バター………100g
- 卵黄………3個
- 薄力粉………大さじ3
- 卵白………3個分
- 塩………少量
- グラニュー糖………90g

● オーブン温度・180℃
● 焼き時間・35〜40分
● 12等分して1切れ211kcal

### ●名前の由来

フランス語の名前についたフォンデュFondueは「溶かした」という意味で、チョコレートをたっぷり溶かして焼き上げるところに由来しています。

### ●おいしさのプロフィール

生地に入る小麦粉の量は、ほんのわずか。作り方は、ごくごくシンプル。だからこそ、口に入れたとたんに溶けてしまうようなホロッとした舌ざわりもおいしく、チョコレート本来のおいしさを味わえます。

## 1.下準備をする

①チョコレートが板状の場合は、刻む。
②バターは室温にもどして、やわらかくする。
③薄力粉は2回ふるってから、計量する。
④湯せんの湯（約60℃・詳しくはP49参照）を用意する。
⑤型は丸型の、底の部分をはずせるタイプを使用し、バターを塗って強力粉をふる。（詳しくはP7参照）
⑥焼くまでに、オーブンを180℃に温める。

## 2.チョコレート・ミクスチャーを作る

ボールにチョコレートとバターを入れて湯せんにかけ、ゴムべらで混ぜながらチョコレートを溶かし、完全に溶けたら湯せんからはずして卵黄を1個ずつ加え、そのつどホイッパーでよく混ぜあわせる。

# シンプル・チョコレート ケーキ

## Chocolat Fondue

### 3.メレンゲを作る

水けも油けもないきれいなボールに卵白を入れ、塩、グラニュー糖を加えながら、ふってもなかなか落ちないくらいのかたさになるまで泡立てる。(詳しくはP16参照)

### 4.粉とメレンゲを
### 　交互に加える

①チョコレート・ミクスチャーにメレンゲの½量を加えて、ホイッパーで手早く混ぜあわせる。

②薄力粉をもう一度ふるいながら加え、ゴムべらで混ぜあわせる。

③残りのメレンゲを加え、ゴムべらで泡をつぶさないように気をつけながら、手早く、しっかりと混ぜあわせる。

●食べごろと保存
焼き上がりが冷めてから翌日にかけてがいちばんおいしい。保存はラップで包んで、常温で5日くらい。それ以上もたせたい場合は、ラップで包んでフリーザーバッグなどに入れて冷凍庫に。食べる前日に冷蔵庫に移して、解凍します。

### 5.型に流して、焼く。

①型に生地を流し入れ、表面をならして、180℃のオーブンで35〜40分焼く。

②焼き上がりをクーラーの上におき、熱いうちに小さなスパチュラかペティナイフを型の内側にグルリと刺し入れ、完全に冷めたら型からはずす。

# チョコレート プレート

*Chocolate Plates*

## 1.下準備をする

①くるみは縦半分に切り分け、アーモンドと一緒に天板に並べ、160℃のオーブンで7〜8分乾燥焼きにする。

②ラムレーズンの代わりに洋酒漬けを使う場合は、水気をよくきる。

③紙コルネを作る。

## 2.チョコレートを落とす

①チョコレートを刻んで約60℃湯せんにかけて溶かし、なめらかな状態にしたら紙コルネに入れる。

②紙コルネの先をはさみで切り、トレイにオーブンペーパーを敷いた上に直径3cmの円状に絞る。

③トレイごと持ち上げて、台に数回落とし、チョコレートを直径4cmくらいに広げる。

④それぞれにくるみ、アーモンド、レーズンをバランスよくのせて、涼しいところにおいて固める。

●食べごろと保存
ラップをかけて涼しいところに保存し、乾燥しないうちに食べ切るようにします。密閉容器に入れて冷蔵保存すれば、1カ月くらい保存可能。

## 材料（直径4cmのもの約18個分）

ビタースウィートチョコレート‥‥‥‥50g
くるみ‥‥‥‥9個
アーモンドホール‥‥‥‥18個
ラムレーズン‥‥‥‥18個

●1個50kcal

●おいしさのプロフィール
くるみとアーモンド、レーズンをのせた、手作りチョコレート。
かんたんなわりに、リッチなおいしさを味わえます。

●紙コルネはオーブンペーパーで

①オーブンペーパーを2辺が15cmくらいの直角三角形に切り、円錐状に巻き込み、上に飛びでた部分を内側に折り込んでとめます。

②生地を入れ、絞りだす寸前にはさみで先をほんの少し切ります。

# ブラウニー
## *Brownie*

## 材料（18×18cmの角型1個分）

- ビタースウィートチョコレート………30g
- カカオマス………60g
- バター………120g
- グラニュー糖………90g
- バニラエクストラ………小さじ½
- 卵………2個
- グラニュー糖………90g
- 薄力粉………80g
- 塩………小さじ⅙

●オーブン温度・180℃　●焼き時間・18～20分
●16等分して1切れ158kcal

## 1.下準備をする

①チョコレートとカカオマスが板状の場合は、同じ大きさになるように刻む。
②バターは室温にもどして、やわらかくする。
③薄力粉と塩はあわせて、ふるう。
④湯せん用の湯（約60℃・詳しくはP49参照）を用意する。
⑤角型にオーブンペーパーを敷き込む。（詳しくはP7参照）
⑥焼くまでに、オーブンを180℃に温める。

●名前の由来
チョコレートまたはココアをたっぷり使って、濃い茶色に焼き上がることからつけられました。直訳すれば「茶色いもの」。愛称を意味する-ieがついていることからも、誰からも愛されるおいしいお菓子であることがわかります。

●おいしさのプロフィール
アメリカ原産のピーカンナッツやくるみを入れて焼き込まれることが多いのですが、ここではバレンタインのギフトにも喜ばれるように、ビタースウィートチョコレートとカカオマスをぜいたくに使い、あえてナッツを加えません。外側はかたいのに、中はしっとりで、舌にまとわりつくような感触も味わってほしいおいしさのひとつです。

## 2.チョコレート・ミクスチャーを作る

①ボールに刻んだチョコレートとカカオマス、バターを入れて湯せんにかけ、ゴムべらで混ぜながらチョコレートを溶かす。
●ビタースウィートチョコレートが手に入らない場合はセミスウィートチョコレート、カカオマスが手に入らない場合はセミスウィートチョコレートまたは市販の板状のダークチョコレートで代用。セミスウィートを使う場合はグラニュー糖を10%ほど減らします。

②グラニュー糖90gを加え、20秒ほど混ぜたら湯せんからはずし、バニラエクストラを加える。

## 3.卵液を加える

①別の大きめのボールに卵とグラニュー糖90gを入れて溶き混ぜ、½量をチョコレート・ミクスチャーに加え、ゴムべらで混ぜあわせる。

②残りの卵液をハンドミキサーで泡立てる。生地を持ち上げて落とし、少しあとがつくぐらいが目安。

③チョコレート・ミクスチャーに加えて、混ぜあわせる。
●卵液を二度に分け、一度目でチョコレート・ミクスチャーになじみをよくし、二度目を泡立ててから加えることにより、焼き上がりのフワッとした舌ざわりが生まれます。

## 4.粉類を加える

薄力粉＋塩を加えてゴムべらで手早く、しっかりと混ぜあわせる。

## 5.型に流して、焼く。

①生地を型の中心に落とし、全体に流し広げる。

②180℃のオーブンで18～20分焼いたら、オーブンを開け、竹ぐしを刺して焼け具合を見る。
　四隅部分は竹ぐしの先に生地がつかず、中央部分はやわらかい生地をついてくるくらいが、ちょうどいい焼け具合。

③クーラーの上におき、粗熱がとれたら型からはずす。

④完全に冷めてから切り分ける。

●食べごろと保存
焼き立てのまだやわらかいくらいが、いちばんおいしい。保存は、ラップに包んで常温で。日に日にかたくなるので、なるべく早く食べきりますが、かたいほうが好みの場合は1週間は大丈夫です。

# メッセージ・チュイル

*Message Tuiles*

## 1.下準備をする

①バニラビーンズを縦に切り分け、種をしごきだす。(詳しくはP15参照)ない場合はバニラエクストラ小さじ1で代用する。

②ボールにバターを入れて湯せんまたは電子レンジで溶かし、バニラビーンズを加え混ぜて、冷ます。

③色紙などの1～2mm厚さの厚紙に好みの形を描いてから、ナイフでくりぬき、型紙を作る。

④紙コルネをP53を参照して用意する。

⑤焼くまでに、オーブンを170℃に温める。

●食べごろと保存
いつでもおいしい。湿気を吸わないように缶や密閉容器に入れて、常温で保存。生地の状態ならラップをかけて冷蔵庫で1週間、冷凍庫で2～3カ月は保存可能。

## 2.生地を作る

①水けも油けもないきれいなボールに卵白を入れてハンドミキサーで泡立て、泡立ってきたらグラニュー糖をひとつまみ加え、さらに泡立てる。七分立てになったら残りのグラニュー糖を加え、角が立つまでしっかりと泡立て(詳しくはP16参照)、溶かしバター＋バニラビーンズを加えてよく混ぜあわせる。

●卵白は、チョコレートタルトやフォンダン・ショコラを作った際に残ったものを冷凍しておき、利用するとよい。

②薄力粉を加え、粉っぽさがなくなるまでしっかり混ぜあわせる。

③生地を2つに分けて、一方にココアパウダーを加えて混ぜあわせる。

## 3.型紙に詰めて、メッセージを入れる

①オーブンシートの上に型紙をおき、くぼみの中に白または茶色の生地を入れてスパチュラでのばし、余分な生地はこそげとる。

②型紙を静かにはずし、茶色または白の生地を紙コルネに入れて、好みの文字を絞りだして書く。

## 4.焼いて、カーブをつける

シートごと天板にのせて、170℃のオーブンで5～7分かけてうっすらと色づけて焼いたら、天板をだしてすぐスパチュラで1個ずつ持ち上げ、ラップの芯などの円筒形のものにあててカーブをつけ、完全に冷ます。

●すぐかたくなってしまうので、手早くやることが大切。やけどをしないように、軍手をするようにしてください。

**材料（約50個分）**

白生地

バター………90g

バニラビーンズ………½本

卵白………90g

グラニュー糖………110g

薄力粉………90g

黒生地用にココアパウダー………小さじ2

●オーブン温度・170℃
●焼き時間・5〜7分
●1個30kcal

●名前の由来
チュイルは、フランス語で屋根がわらのこと。
このお菓子が、焼き上がりの熱いうちに屋根がわらのような
カーブをつけて仕上げることから、その名前がつきました。

●おいしさのプロフィール
特徴はサクッとした、やわらかい舌ざわり。
バレンタインのギフトを意識して、メッセージ入りの
チャーミングな仕上げにしてみました。手作りだからこそ、
オリジナルの言葉で思いを伝えることができます。

# ョコレートタルト

*Tarte au chocolat*

## 材料（直径20cmのタルト型1個分）

空焼きしたタルトケース………1個
フィリング
- ビタースウィートチョコレート………160g
- 牛乳………95ml
- 卵黄………1個
- 生クリーム………約180ml

● オーブン温度・160℃
● 焼き時間・18〜20分
● 16等分して1切れ195kcal

●おいしさのプロフィール
特徴は、なんといってもチョコレートクリームのやわらかい舌ざわり。
フィリングの中心がまだ少し揺れるくらいの段階で、
オーブンからだしてしまうのがポイントです。

## 1.下準備をする

①チョコレートが板状の場合は、細かく刻む。
②卵黄に生クリームを少しづつ加えて混ぜあわせ、
合計190mlにする。
③焼くまでに、オーブンを160℃に温める。

## 2.タルトケースを
## 空焼きにする

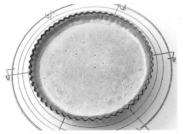

①P38〜40を参照してタルト生地を作って型に敷き込み、230℃のオーブンで5分焼いたら、縁の部分に用意しておいたアルミホイルのカバーをかぶせ、180℃に下げたオーブンで10分、全体にごく薄い色がつくまで焼いておく。

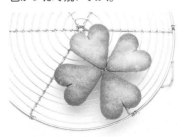

②好みで残ったタルト生地を2mm厚さにのばし、ハート型などで抜いて、170℃のオーブンで10分焼いておく。

## 3.フィリングを作る

①ボールにチョコレートを入れて、電子レンジで温めた牛乳をかけ、チョコレートがやわらかくなったら、ゴムべらで静かに混ぜあわせる。

②卵黄＋生クリームを少しずつ加え、空気が入らないように気をつけながら、静かに混ぜあわせる。

## 4.タルトケースに
## 流して、焼く。

①空焼きしておいたタルトケースに、フィリングを流し入れる。

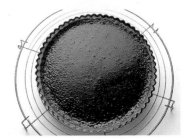

②160℃のオーブンで18〜20分焼く。焼き上がりの目安は、型ごと左右にふってみると、中心部分が少しゆれるくらい。

③クーラーの上において、完全に冷ましてから型からはずす。

●食べごろと保存
焼き上がりが冷めてから次の日までがおいしい。
保存はアルミホイルをかけて、常温で2日くらい。

# オンダン・ショコラ
## *F o n d a n t   C h o c o l a t*

## 材料
### （容量100mlのプリン型6〜7個分）
- セミスウィートチョコレート………125g
- バター………115g
- 卵………2個
- 卵黄………1個
- グラニュー糖………60g
- 薄力粉………55g

- ●オーブン温度・180℃
- ●焼き時間・7分30秒〜8分
- ●1個320kcal

●名前の由来
フォンダンは、「口の中ですぐ溶ける」とか「とろけるような」という意味。
口に入れたとたん溶けてしまうような、このお菓子のやわらかさを形容しています。

●おいしさのプロフィール
外側はサクッとかたく焼き上がってますが、中心部分はまだやわらか。
切り分けると、中から生地がチョコレートクリームのような感じで流れだします。

## 1.下準備をする
①チョコレートが板状の場合は、細かく刻む。
②バターは室温にもどして、やわらかくする。
③薄力粉は2回ふるってから計量する。
④湯せん用の湯（約60℃・詳しくはP49参照）を用意する。

⑤細めのプリン型にバターを刷毛で塗ってから、強力粉を薄くふる。（詳しくはP7参照）

⑥焼くまでに、オーブンを180℃に温める。

## 2.生地を作る

①ボールにチョコレートとバターを入れて湯せんにかけ、ゴムべらで混ぜながらチョコレートを溶かす。

②別のボールに卵と卵黄とグラニュー糖を入れて混ぜあわせ、ハンドミキサーで筋がつくらいまで泡立てる。

③①の温かいチョコレート液を②の卵液に加えて、よく混ぜあわせる。

④薄力粉をふるいながら加え、ゴムべらで全体にしっかりと混ぜあわせる。

## 3.型に流して、焼く

①生地を型の7分目まで入れる。
②180℃で7分30秒〜8分かけて焼く。

●小さめのオーブンなら、3個くらいずつ2回に分けて焼いたほうがいいでしょう。

③オーブンからだしたら、1人分の盛り皿の上に型ごと逆さにしておき、10秒おいてから型をそっと持ち上げる。

●焼き上がりは、中心部分がまだやわらかい状態でよい。熱いうちに手早く型からださなければならないので、軍手をはめてしてください。

● 食べごろと保存
1人分の盛り皿に直接あけて、熱いうちに食べます。
プレゼントにしたい場合は、13分くらいかけて中まで
しっかり焼いてください。その場合は常温で3〜4日は
大丈夫です。

ハート

# のココアクッキー

### Heart & Heart Cookies

## 材料（約30個分）

ココアクッキー
- バター………120g
- 薄力粉………200g
- 粉砂糖………65g
- ココアパウダー………大さじ2½
- 卵黄………1個
- 冷水………小さじ2

好みでセミスウィートチョコレート少量

- ●オーブン温度・180℃
- ●焼き時間・10〜12分
- ●1個67kcal

● おいしさのプロフィール
甘さの中にココアのほろにがさを味わえます。
プレゼントにはハートの抜き型を大小とり混ぜたり、
形を微妙に変えたりするとおしゃれです。
好みでチョコレートをつけても。

## 1.下準備をする

① バターは室温にもどして、やわらかくする。
② 薄力粉と粉砂糖、ココアパウダーをあわせて、ふるう。
③ 焼くまでに、オーブンを180℃に温める。
④ チョコレートは粗く刻み、約60℃の湯せんにかけて溶かす（詳しくはP49参照）。

## 2.生地を作る

① 薄力粉＋粉砂糖＋ココアパウダーをボールに入れ、中心をくぼませてバターをおき、卵黄と冷水を加える。

② 指先でバターに卵黄と水を混ぜてから、粉類をカードで少しずつ寄せながら、混ぜあわせる。

③ だいたいまとまったら台の上にとりだし、親指のつけ根の部分で生地を台にこすりつけ、なめらかな状態にする。

④ ひとまとめにしてラップに包み、冷蔵庫で1時間やすませる。

## 3.型で抜く

① 生地を2つに分けてから、それぞれを2枚のオーブンペーパーにはさんで、めん棒で3mm厚さにのばし、ハートの型で抜く。

② 1枚抜くごとに、型の刃の部分に打ち粉をまぶしつけると、きれいに抜ける。

## 4.焼く

① 冷凍庫に30分以上入れて生地をしめてから、180℃のオーブンで10〜12分焼き、クーラーの上で完全に冷ます。
② 好みで溶かしたチョコレートに浸し、クーラーの上において冷まし固める。

● 焼く前に冷やし固めることにより、焼く間に形がくずれるのを防げます。

● 食べごろと保存
いつでもおいしい。湿気を吸わないように缶や密閉容器に入れて、常温で保存。生地の状態ならラップをかけて冷蔵庫で1週間、冷凍庫で2〜3カ月は保存可能。

# ブラック＆ホワイト・クッキー

## Crack-ups

## 1.下準備をする

①チョコレートが板状の場合は、刻む。
②バターは室温にもどして、やわらかくする。
③湯せん用の湯（約60℃）を用意する。
④アーモンドスライスと薄力粉、ベーキングパウダーをフードプロセッサーに入れて、粉状にする。
●フードプロセッサーがない場合は、アーモンドをナイフでごく細かく刻んでから、混ぜあわせます。
⑤天板にオーブンペーパーを敷く。
⑥焼くまでに、オーブンを170℃に温める。

## 2.生地を作る。

①ボールにチョコレートとバターを入れて湯せんにかけ、ゴムべらで混ぜながらチョコレートを溶かす。

②別のボールに卵とグラニュー糖とラム酒を入れて、ハンドミキサーでリボン状になるまで泡立てる。
●リボン状というのは、ハンドミキサーで生地適量を持ち上げてみると、リボンのような幅を持って落ちる状態をいいます。

③①のチョコレート・ミクスチャーを②に加え、ゴムべらで混ぜあわせる。

④アーモンドスライス＋薄力粉＋ベーキングパウダーを加え、ゴムべらで手早く、しっかりと混ぜあわせる。

⑤ボールにラップをかけて、冷蔵庫に入れて2～3時間やすませる

## 3.丸めて、焼く

①生地をスプーンですくって、手のひらで直径2.5cmに丸める。

②1個ずつグラニュー糖をまぶし、さらに粉砂糖をたっぷりまぶす。

③天板に間隔をあけて並べ、170℃で5分、160℃に下げて7～8分焼き、クーラーの上において冷ます。
●焼き上がりは中心部分がやわらかいくらいでよい。

## 材料（直径4cmのもの約30個分）

ビタースウィートチョコレート………120g
バター………20g
卵………1個
グラニュー糖………30g
ラム酒………小さじ2
アーモンドスライス………50g
薄力粉………35g
ベーキングパウダー………小さじ¼
グラニュー糖、粉砂糖………各適量

●オーブン温度と焼き時間・170℃で5分、
　160に下げて7〜8分
●1個58kcal

●おいしさのプロフィール
クッキーといっても、中心部分が少しやわらかいくらいで焼き上げるので、
外側はハードですが、食べてみるとやわらか。
アーモンドのツブツブ感も楽しく、ナッティなおいしさを味わえます。

●食べごろと保存
中心部分がやわらかいうちがおいしいけれど、
少したって乾燥してかたくなってからも、それはそれでおいしい。
保存は、密閉容器などに入れて常温で。
生地の状態で冷凍保存も可能。

## 材料
### （24×8×6cmのパウンド型1個分）

キャラメル
- グラニュー糖‥‥‥‥100g
- 水‥‥‥60ml

チョコレートプリン生地
- グラニュー糖‥‥‥‥70g
- ココアパウダー‥‥‥‥40g
- 湯‥‥‥40ml
- 牛乳‥‥‥125ml
- 生クリーム‥‥‥‥375ml
- 卵‥‥‥2個
- 卵黄‥‥‥2個
- ラム酒、アマレット‥‥‥‥各大さじ2

●オーブン温度・170℃
●焼き時間・40〜50分
●16等分して1切れ178kcal

● おいしさのプロフィール
キャラメルとチョコレートのマッチングがおいしく、
さらにリキュールの香りをきかせた大人向きの味わいが魅力。
舌ざわりはまったりとして、生チョコの感触に似ています。

●アマレット
ビターアーモンド風味の
イタリアのリキュール。
手に入らない場合は
入れなくても。

## 1.下準備をする

①湯せん用の湯をわかす。
②焼くまでに、オーブンを170℃に温める。

# チョコレート プリン

## Chocolate Pudding

## 2.キャラメルを作って、底に敷く

①鍋にグラニュー糖100gと水を入れて弱火にかけ、木べらで混ぜながらグラニュー糖を溶かす。

②あとは混ぜずに、色づくまで10～15分かけて気長に煮詰める。
●火が強すぎると水分が蒸発して、キャラメルになる前に焦げてしまうので注意します。

③濃いめの色がついたらパウンド型に流し、底全体に広げて、冷まし固める。

## 3.生地を作る

①鍋にグラニュー糖70gとココアパウダー、湯を入れてあわせ、弱火にかけてゆっくりと溶かし、なめらかなペースト状にする。

②別の鍋に牛乳と生クリームを入れて火にかけ、沸とう寸前まで温まったら、①の鍋に少しずつ加えて、よく混ぜあわせる。

③ボールに卵と卵黄を入れてほぐし、②を泡立てないように静かに混ぜ、ラム酒とアマレットを加える。

④こす。

## 4.型に入れて、焼く。

型に流し入れ、天板において約80℃の湯を注ぎ、170℃のオーブンで40～50分かけて焼く。

●食べごろと保存
焼き上がりが完全に冷めたら冷蔵庫に入れ、冷やして食べたほうがおいしい。保存はラップをかけ、冷蔵庫で2～3日。

# 思わず手がでる
# 小さくて、可愛い

## バターについて知ってほしい4つのこと

### 1.室温にもどしたバター

マーブルケーキやバナナケーキ、タルト生地、クッキーなど、バターをクリーム状に練って使うお菓子のときに、この状態にします。

　まず使う30分前に冷蔵庫からだして、室温にもどしておくのが原則。この場合の室温は20〜22℃が目安。人さし指でおさえると、指の形にあとがつくぐらいのやわらかさです。室温が高すぎてグシャッとなるようではやわらか過ぎですから、冷蔵庫で少し冷やしてから使うようにします。

### 2.冷やし固めたバター

パンプキンパイのパイ生地やホットビスケットなど、粉の中にバターを切り込んで使うお菓子のときに、この状態にします。

　まず冷蔵庫からだしたてのバターを1cm角に切り分け、使うまで冷蔵庫に入れておいて、冷え固まった状態で使います。

### 3.溶かしバター

バターを耐熱性の小さめのボールに入れて、電子レンジ強で約20秒加熱。一度とりだして、全体を平均に混ぜてから、もう一度電子レンジに入れて約10〜20秒加熱します。

あるいは約50℃くらいの湯せんにかけて溶かすこともできます。

# お菓子

## 4.ノワゼット・バター

フィナンシエやマドレーヌなど、生地に液状で加え、香ばしさと色をプラスするお菓子のときに、はしばみ色（ノワゼット）になるまで煮詰めた状態で使います。

①バターを小鍋に入れて弱火にかけてゆっくりと火を通し、はしばみ色になるまで煮詰める。

②ペーパータオルでこし、使うまで60℃くらいの湯せんにかけて温めておく。

# マドレーヌ
## *Madeleines*

## 材料（約4cm長さのもの約26個分）

```
⎧ 卵白………3個分
⎩ 塩………少量
```
薄力粉………60g
アーモンドパウダー………25g
粉砂糖………75g
黒砂糖………10g
バター………90g
はちみつ………大さじ½

●オーブン温度と焼き時間・200℃で3〜4分
　180℃に下げて11〜12分
●1個56kcal

## 1.下準備をする

①薄力粉とアーモンドパウダー、粉砂糖、黒砂糖をあわせて、一緒に2〜3回ふるう。
②バターはP69を参照してノワゼット・バターにし、使うまで温めておく。

③貝殻を形どったマドレーヌ型にバターを刷毛でたっぷり塗ってから強力粉をふり、余分を払い落とす。
④焼くまでに、オーブンを200℃に温める。

## 2.生地を作る

①油けも水けもないボールに卵白を入れ、途中で塩を加え、ハンドミキサーで角がしっかり立つまで泡立てる。（詳しくはP16参照）

②薄力粉＋アーモンドパウダー＋粉砂糖＋黒砂糖を加えて、ホイッパーで混ぜあわせる。

③温かいノワゼット・バターとはちみつを順に加え、そのつどよく混ぜあわせる。

## 3.型に入れて、やすませる

生地をスプーンですくって型に入れ、冷蔵庫に1時間入れてやすませる。

## 4.焼く

①200℃のオーブンで3〜4分焼いたら、180℃に下げて11〜12分焼く。
②焼き上がったらすぐ型からはずし、クーラーの上にのせて完全に冷ます。

●名前の由来
十八世紀のフランスでロレーヌ地方を治め、美食家としても有名だったスタニスラス・レクザンスカ公がある日のこと、マドレーヌという名前の女料理人（農家の娘という説もあり）が作ったこのお菓子を食べました。そのおいしさに感激した公は、早速フランス王ルイ十五世に嫁いでいた娘のマリー・レクザンスカ王妃に……。ヴェルサイユ宮殿でも人気を集め、さらにはフランスじゅうに広まったとされています。

●おいしさのプロフィール
小さなシェル（貝）形に焼き上げます。ノワゼット・バターとはちみつが入るので、表面にこんがりと焼き色がついて香ばしく、中はねっとりとして、食べごたえもあります。口いっぱいに広がるバターの香りがおいしさですが、さらに黒砂糖とアーモンドパウダーでも風味をプラスしています。

●食べごろと保存
いつ食べてもおいしい。保存はラップをかけて、常温で1週間くらい。

# パリジェンヌ<br>（シュークリーム）

*Parisiennes*

## 材料（直径7cmのもの19個分）

シュー生地
- 水………100ml
- 牛乳………90ml
- バター………75g
- 塩………少量
- グラニュー糖………少量
- 薄力粉………110g
- 卵………3個

トッピング用のアーモンドダイス………適量

カスタードクリーム
- 牛乳………500ml
- バニラビーンズ………1本
- 卵黄………5個
- グラニュー糖………110〜125g
- 薄力粉………25g
- コーンスターチ………25g
- バター………30g

ラム酒またはフランボワーズ酒………大さじ1

● 名前の由来<br>
シューはフランス語でキャベツの意味で、焼き上がった形が似ているから。その点からも、焼き上がりの表面に割れ目がなくてはならないとされています。シュークリームのうちでも、アーモンドダイスをふりかけて焼いたものはパリジェンヌと呼ばれます。

● おいしさのプロフィール<br>
サクッとかたい皮とクリームの組みあわせを楽しみます。ここではカスタードクリームを詰めてますが、生クリーム100mlを九分立てにして加えてもいいでしょう。

●オーブン温度と焼き時間・220℃で1分<br>
　200〜160℃に下げながら45分<br>
●1個167kcal

## 1.下準備をする

①シュー生地用の薄力粉はふるう。<br>
②カスタードクリーム用の薄力粉とコーンスターチはあわせて、一緒にふるう。<br>
③バニラビーンズを縦に切り分けて、種をしごきだす。（詳しくはP15参照）　ない場合はバニラエクストラ小さじ2で代用する。<br>
④シュー生地用には絞りだし袋に直径13mmの丸口金、カスタードクリーム用には好みの口金をつけて用意する。<br>
⑤天板にオーブンペーパーを敷く。<br>
⑥焼くまでに、オーブンを220℃に温める。

●絞りだし袋は、あらかじめ用意して、立てかけておきます。

①シュー生地用の絞りだし袋は直径13mmの丸口金をつけ、口金の根元をねじって、口金の中に押し込む。

②生地を入れやすくするために、袋の部分を半分から外側に折り返し、コップの中などに立てておく。

## 2.シュー生地を作る

①直径20cm高さ10cmくらいの鍋に水、牛乳、バター、塩、グラニュー糖を入れて弱火にかけ、木べらで混ぜながら火を通し、完全に沸とうしたら火からおろし、薄力粉を一気に加える。

②木べらで手早く混ぜあわせる。

③粉っぽさがなくなったら再び火にかけ、中火で練りながら余分な水分を飛ばし、生地がひとつにまとまり、鍋底に薄い膜が張ったようになったら火からおろす。

④大きめのボールに移し、軽く溶きほぐした卵を4～5回に分けて加え、そのつどハンドミキサーで混ぜあわせる。

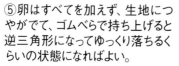

⑤卵はすべてを加えず、生地につやがでて、ゴムべらで持ち上げると逆三角形になってゆっくり落ちるくらいの状態になればよい。

●残った卵はあとで、溶き卵として使います。

# 3.絞る

①生地を絞りだし袋に入れる。

②両手で持って、生地を口金の先まで送り込む。

③天板に直径4cmで高さ2cmくらいの円形になるように、それぞれの間隔を充分にとって、絞りだす。

④一度に全部絞れないので、残った生地は乾燥しないように口金の先をラップでおおい、オーブン近くの温かいところにおく。

## 4.形を整える

①指先を水でぬらして、中央の突起部分をおさえて、形を整え、それぞれの高さをそろえる。

②2で残った卵に水少量を加え、刷毛で表面全体に薄く塗り、乾燥を防ぐとともにつやを添える。

③中央部分をフォークで縦、横におさえる。

④アーモンドダイス少量をふりかける。

## 5.焼く

220℃のオーブンに入れ、すぐ200℃に下げて、途中焼き色を見ながら160℃に下げ、全体で45分かけて焼き、クーラーにのせて完全に冷ます。

## 6.カスタードクリームを作る

①鍋に牛乳とバニラビーンズをさやごと入れて、弱火にかける。

②ボールに卵黄とグラニュー糖を入れ、ホイッパーで白っぽくなるまですり混ぜたら、薄力粉＋コーンスターチを加え混ぜる。

## 7.シューにクリームを詰める

③沸とうした①を少しずつ、バニラのさやを入れないように気をつけながら加え、混ぜあわせる。

④鍋に戻して再び火にかけ、絶えずホイッパーで混ぜながらとろみをつけていく。

⑤鍋底からフツフツとわき上がってきたら火からおろし、バターを加えて、余熱で溶かしながら混ぜあわせる。

①シューの皮を上4対下6くらいの割合で横に切り分ける。

②カスタードクリームをボールにあけてハンドミキサーでやわらかく練り、ラム酒を加え混ぜる。

③カスタードクリームを絞りだし袋に入れ、シューの下半分に絞り入れ、上半分をかぶせる。

⑥バットにあけて平らに広げ、ラップを密着させてかぶせ、冷ます。

●食べごろと保存
カスタードクリームを詰めたら、できるだけ早く食べ、残ったら冷蔵庫で保存して、次の日のうちに食べ切ります。

# ホットビスケット
## Hot Biscuits

●おいしさのプロフィール
焼き立ての熱々を半分に切り分け、甘酸っぱいいちごのマリネと、好みで泡立てた生クリームを添えて食べます。

## 材料（直径6cmのもの9個分）

薄力粉………235g
コーンスターチ………15g
ベーキングパウダー………大さじ1
塩………小さじ½
グラニュー糖………大さじ3
バター………85g
卵黄………2個
生クリーム………130ml
いちごのマリネ
　いちご………450g
　グラニュー糖………大さじ1〜2
好みで生クリーム………適量

●オーブン温度と焼き時間・220℃で8〜10分、
　180℃に下げて10〜15分
●1個293kcal

### 1.下準備をする

①バターは1cm角に切って、冷蔵庫で冷やし固める。
②卵黄と生クリームは混ぜあわせる。
③焼くまでに、オーブンを220℃に温める。

### 2.生地を作る

①大きめのボールに粉類と塩、グラニュー糖をあわせてふるい入れ、バターを加えてカードで切り込み、さらに指ですり込んで、そぼろ状にする。

②卵黄＋生クリームを加えてフォークで混ぜ、ざっとまとめる。

●食べごろと保存
焼き立てがいちばんおいしい。冷めてしまったときは、1個につきオーブントースターで1〜2分、電子レンジで20秒を目安にして温めて食べます。長く保存したい場合は、生地を抜いた状態でラップに包んでフリーザーバッグなどに入れ、冷凍庫に。

### 3.形作って、焼く

①打ち粉をした台の上で生地を軽くこねてから、手のひらで2cm厚さにのばし、2等分して重ねる。

②上から手のひらで1cm厚さにのばしたら、直径6cmの型で抜く。残った生地もまとめてのばし、同様に抜く。

③220℃のオーブンで8〜10分焼いたら、180℃に下げて10〜15分焼き、焼き立てを横半分に切り分ける。

### 4.いちごのマリネを添える

いちごはへたをとって縦半分に切り、グラニュー糖をかけて室温に1時間おいたあと冷蔵庫に入れ、ホットビスケットの下半分にのせて、上半分を重ねる。好みで生クリームを泡立てたものを添える。

## 材料（直径7cmのもの8個分）

卵‥‥‥‥3個
三温糖‥‥‥‥150g
バター‥‥‥‥60g
｜ 薄力粉‥‥‥‥125g
｜ ベーキングパウダー‥‥‥‥小さじ2½
｜ ベーキングソーダ（重曹）‥‥‥‥小さじ½
はちみつ‥‥‥‥小さじ1
バニラエクストラ‥‥‥‥少量
牛乳‥‥‥‥100ml

●1個151kcal

●おいしさのプロフィール
1にも2にも口あたりのやわらかさ。それから強過ぎない味と香りでしょうか。
ひかえめな甘味、ほんのりと香る三温糖の香りは、西洋のお菓子にはないおいしさです。
ジャスミンティーにはもちろん、冷たいミルクにもよくあいます。

## 1.下準備をする

①薄力粉とベーキングパウダー、ベーキングソーダをあわせて、ふるう。
②蒸すまでに、蒸し器を温める。

## 2.生地を作る

①バターは湯せんまたは電子レンジ強に30秒かけて、溶かす。

②ボールに卵と三温糖を入れ、ホイッパーで三温糖が溶けるまで混ぜあわせたら、溶かしバターを加え、混ぜあわせる。

③薄力粉＋ベーキングパウダー＋ベーキングソーダを加えてしっかりと混ぜあわせたら、はちみつとバニラエクストラ、牛乳を順に加え混ぜる。

## 3.紙ケースに入れて、蒸す

①生地をレードルかスプーンですくって、マフィン用の紙ケースの7分目まで入れる。

②蒸気の上がった蒸し器に入れて、キッチンペーパー（またはふきん）をかぶせてふたをし、強火で約20分蒸す。

③蒸し器からだして、ケースごとクーラーの上にのせて冷ます。

●食べごろと保存
温かいうちがおいしい。保存はラップをかけて、常温で3〜4日。

*Maraiko* 馬拉糕

マーライコウ
（中華風蒸しカステラ）

# エッグタルト(蛋塔)

タンター

*Egg Tarts*

## 材料(直径7cmのもの12〜14個分)

パイ生地
- 薄力粉………140g
- 塩………少量
- バター………85g
- 冷水………大さじ2〜2⅔
- 酢………小さじ1

カスタード
- 卵………2個
- コーンスターチ………大さじ2
- 牛乳………120ml
- 生クリーム………120ml
- グラニュー糖………100g
- 塩………少量
- バター………大さじ1

● オーブン温度・210℃　● 焼き時間・18〜20分
● 1個177kcal

● おいしさのプロフィール
イギリスのカスタードパイによく似ていますが、それもそのはず、
カスタードパイもこのエッグタルトも、そのもとをたどれば
スペインのパスティシュ・デ・ナタというお菓子に行きつくとか。
サクサクのパイと甘くとろけるようなカスタードのマッチングを楽しめます。

● 食べごろと保存
焼き上がりが冷めてすぐがおいしい。保存はラップをかけて常温で、次の日
には食べ切ります。

## 1.下準備をする

①パイ生地用のバターは1cm角に切って、冷蔵庫で冷やし固める。

②パイ生地はP44を参照して作り、2mm厚さにのばして直径8cmの丸型で抜き、マフィン型に敷き込んで底の部分にフォークを刺す。

③焼くまでに、オーブンを210℃に温める。

## 2.カスタードを作る

①牛乳と生クリームを混ぜあわせ、そのうち大さじ2をコーンスターチに注いで溶く。

②ボールに卵をほぐし、①の溶いたコーンスターチを加えて混ぜあわせる。

③鍋に①の牛乳＋生クリームとグラニュー糖、塩を入れて火にかけ、混ぜながら温める。

④沸とうしたら火からおろし、そのうち大さじ2をとりだして②の卵液に加え混ぜ、卵液をこす。

⑤③の鍋をもう一度火にかけ、沸とうしたら④の卵液を少しずつ加え、混ぜ続ける。
⑥20秒ほど煮たら火からおろし、バターを加えて余熱で溶かし混ぜる。

⑦バットなどにあけてラップをぴったり密着させてかぶせ、冷ます。

## 3.カスタードを詰めて、焼く

①カスタードを練ってやわらかくしてから、パイ生地を敷いたマフィン型に六分目ほど絞りだす。

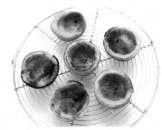

②210℃のオーブンで18〜20分焼き、クーラーの上において、粗熱がとれたら型からはずす。

# ロッシャン・ティーケーキ

*Russian teacakes*

### 1.下準備をする

①バターとショートニングを室温にもどして、やわらかくする。
②薄力粉とアーモンド＆ヘーゼルナッツパウダーは、一緒にふるう。
③天板にオーブンペーパーを敷く。
④焼くまでに、オーブンを150℃に温める。

### 2.生地を作る

①ボールにバターとショートニングを入れて、ハンドミキサーで練りあわせる。

②グラニュー糖と塩を加えてすり混ぜ、粉類を加えたらゴムべらに持ち替えて、混ぜあわせる。

③生地を2つに分けてまとめ、ラップに包んで、冷蔵庫で1時間やすませる。

### 3.丸めて、やすませる

生地を小さじ2くらいすくって手のひらで直径2cmの球状に丸め、冷凍庫で10〜15分やすませる。

### 4.焼く

①天板に間隔をあけて並べ、150℃のオーブンで20〜22分焼く。

②温かいうちに粉砂糖をまぶして、冷ます。

●食べごろと保存
いつでもおいしい。保存は密閉容器に入れて、常温で1週間。生地を丸めた状態でラップに包み、冷蔵庫で1週間、冷凍庫で1〜2カ月保存も可能。

●名前の由来
ティーケーキは、ティータイムに食べられる平たくて小さなケーキやクッキーのことをさし、この場合はクッキーの一種。ロシア風というのは、もともとロシア風お菓子の特徴とされたくるみとはちみつが使われたからのようです。
●おいしさのプロフィール
ホロホロ、サクッと口の中で砕けると、ナッツの香りがいっぱいに広がります。ナッツはアーモンドとヘーゼルナッツを組みあわせていますが、ヘーゼルナッツが手に入らない場合はアーモンドだけで。くるみを粉状にして使ってもまた違ったおいしさを楽しめます。

## 材料（直径3cmのもの約30個分）

バター………60g
ショートニング………50g
グラニュー糖………大さじ3
塩………少量
薄力粉………120g
アーモンドパウダー………50g
ヘーゼルナッツパウダー………40g
仕上げの粉砂糖………適量

●オーブン温度・150℃　●焼き時間・20〜22分
●1個75kcal

## 1. 下準備をする

① バターは室温にもどして、やわらかくする。
② ラムレーズンは汁気をきって、粗みじんに切る。
③ 天板にオーブンペーパーを敷く。
④ 焼くまでに、オーブンを180℃に温める。

## 2. 生地を作る

① ボールにバターを入れてハンドミキサーかホイッパーで練り、グラニュー糖を加えて白っぽくなってきたら卵白を3～4回に分けて加え、さらに粉類を加えたらゴムべらに持ち替えて、しっかりと混ぜあわせる。

② ラムレーズンを加えてまとめ、2等分してラップに包み、冷蔵庫で半日やすませる。

● 食べごろと保存
いつでもおいしい。保存は密閉容器に入れて約1週間。円筒形にした状態でラップに包み、冷蔵庫で1週間、冷凍庫で1～2カ月保存可能。冷蔵庫の場合はそのまま切り分けて、冷凍庫の場合は室温に少しおいてから切り分けて、天板に並べてオーブンで焼く。

## 3. 円筒形にする

① 生地をとりだし、軽く打ち粉をしながらコロコロところがし、直径6cmの円筒形にする。

② オーブンペーパーに包んで、ペーパータオルの芯を半分に切ったものなどにのせて、冷蔵庫で半日～1日やすませる。

## 4. 切り分けて、焼く

① 5mm厚さに切り分け、生地がやわらかくなっているようなら冷凍庫に5分入れる。

② 天板に間隔をあけて並べ、180℃のオーブンで10分焼き、クーラーに移して冷ます。

## 材料（直径6cmのもの約30個分）

バター………140g
グラニュー糖………70g
卵白………1個分
薄力粉………100g
コーンスターチ………100g
ラムレーズン………50g

● オーブン温度・180℃　　● 焼き時間・10分
● 1個76kcal

● おいしさのプロフィール
卵の卵白だけを使って、白っぽく焼き上げるクッキーで、粉っぽいけれど、どこか懐かしいような、やさしいおいしさを楽しめます。
卵白だけが残ってしまったときは、このレシピをおぼえておくと重宝します。
　中に入れるものはラムレーズンのほかミックスフルーツ、オレンジピールやくるみ、紅茶の葉、チョコレートなどでも。いずれも粗く刻んで使います。

*Sablés aux Fruits*

# フルーツサブレ

## 材料（直径6.5cmのもの約35個分）

薄力粉………100g

A
- ベーキングパウダー………小さじ½
- ベーキングソーダ（重曹）………小さじ½
- ブラウンシュガー………100g
- 塩………少量

B
- 卵黄………1個
- 牛乳………小さじ½
- バター………100g
- ゴールデンシロップ………大さじ1½

オートミール………100g

●オーブン温度・180℃　●焼き時間・9〜10分
●1個57kcal

●おいしさのプロフィール
オートミールが入った、バリバリサクサクした口あたりの、香ばしいクッキーです。
白炒りごまを加えると、ちょっと甘いせんべいに似たおいしさも味わえます。

## 1.下準備をする

①バターは湯せんか電子レンジで溶かす。
②天板にオーブンペーパーを敷く。
③焼くまでに、オーブンを180℃に温める。

## 2.生地を作る

①Aをあわせてふるいながらボールに入れ、Bの材料を混ぜあわせてから加える。

②オートミールも加えて、ゴムべらでしっかりと混ぜあわせる。

③生地をまとめ、ラップに包んで、冷蔵庫で1時間やすませる。

## 3.形作って、焼く

①生地を大さじ1くらいすくって手のひらで丸め、天板に間隔をあけて並べ、1個ずつコップの底などで押しつぶす。
●コップにオーブンペーパーをあててやると、生地がくっつきません。

②180℃のオーブンで9〜10分焼き、クーラーの上に移して、冷ます。

●ゴールデンシロップ
イギリスで使われる糖蜜の一種。手に入らない場合ははちみつ大さじ1で代用します。

*Oats Crunchies*

オーツクランチー

# ピーナッツバター クッキー
## Peanut Butter Cookies

● おいしさのプロフィール
ピーナッツバターの風味と、サクサクというよりウェットな口あたりがおいしいクッキーです。

## 1.下準備をする

① バターを室温にもどして、やわらかくする。
② 薄力粉と塩、ベーキングパウダーはあわせて、一緒にふるう。
③ 天板にオーブンペーパーを敷く。
④ 焼くまでに、オーブンを180℃に温める。

## 2.生地を作る

① ボールにバターとピーナッツバターを入れてハンドミキサーで空気を含ませるように混ぜ、フワッとしてきたら砂糖を少しずつ加え混ぜ、次に卵を少しずつ加え混ぜる。

② 薄力粉＋塩＋ベーキングパウダーを加え、ゴムべらに持ち替えて粉っぽさがなくなるまで混ぜあわせる。

③ 生地をまとめて2つに分け、ラップに包んで、冷蔵庫で30分やすませる。

## 3.形作って、焼く

① 生地を手のひらで直径2.5cmの球状に丸め、天板に7cmくらいの間隔をあけて並べる。

② フォークに打ち粉代わりにグラニュー糖（分量外）をまぶし、クッキーを上からおさえて円形にする。

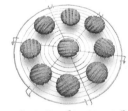

③ 180℃のオーブンで8〜9分、縁に少し焼き色がつくくらいに焼く。オーブンからだしたら、天板のまま少しおいてからクーラーの上に移し、完全に冷ます。

## 材料（直径約5cmのもの約35個分）

バター………60g
ピーナッツバター………260g
グラニュー糖………90g
ブラウンシュガー………95g
卵………1個
┌ 薄力粉………160g
│ 塩………少量
└ ベーキングパウダー………小さじ2½

● オーブン温度・180℃　● 焼き時間・8〜9分
● 1個99kcal

85

# 心までフレッシュ
# ひんやりティータイ

## 冷たいお菓子のために知っておきたい4つのこと

### 1.板ゼラチンとふやかし方

薄い板状のゼラチンで、写真のものは1枚が4gになっています。

冷水に10分ほどつけて、やわらかくもどします

使うときは、絞って水気をよくきります

### 2.粉ゼラチンとふやかし方

粉末状のゼラチン。
板ゼラチンの代わりに使う場合は、板ゼラチン7gに対して9gの割合で使います。

ふやかすときは、3〜4倍量の冷水にふり込み、しばらくおきます。

# Upできる
# ムとデザート

### 3.ゼラチンの溶かし方

温かい液の中に加えて余熱で溶かし混ぜる場合は、板ゼラチンならふやかして水気を絞った状態、粉ゼラチンならふやかした状態で加えます。

P88のレア・チーズケーキやP91のマンゴーババロアのように溶かしてから使う場合は、白ワインや桂花陳酒などの液体を加えて電子レンジ強で20秒加熱、とりだして全体を混ぜ、再び電子レンジで10秒ほど加熱。あるいは40〜50℃の湯せんにかけて溶かします。使うまで冷めないようにしておきます。

### 4.型のはずし方

①P91のマンゴーババロアのようにゼラチンを使って冷やし固めたものは、型ごと約50℃の湯にサッとつけます。

P90のカスタードプディングのように焼いたあとに冷やし固めたものは、ナイフを型の内側に沿ってグルリと入れます。

②型の上に盛り皿を逆さにかぶせ、両手でおさえながら返して、型だけを持ち上げてはずします。

# レア・チーズケーキ

## *Creamy Cheesecake*

### 1.下準備をする

①バターは湯せんか電子レンジで溶かす。
②焼くまでに、オーブンを170℃に温める。
③クリームチーズは室温にもどして、やわらかくする。
④板ゼラチンは冷水につけてふやかす（詳しくはP86参照）。
⑤冷やすときまでに、氷水を用意する。

### 2.底生地を焼く

①グラハムクラッカーは、フードプロセッサーにかけるか、ビニール袋に入れて上からめん棒でたたいて細かく砕き、溶かしバターを混ぜあわせる。

②底をはずせる丸型の底に入れ、マッシャーなどでおさえてぴっちりと敷き詰め、170℃のオーブンで6〜7分焼く。

### 3.生地を作る

①ボールにクリームチーズを入れてハンドミキサーで練り、グラニュー糖、牛乳の順に加えて溶きのばす。

②板ゼラチンの水気を絞って小さなボールに入れ、白ワインを加えて、電子レンジか湯せんにかけて溶かし、①を大さじ3ほど加えて混ぜあわせる。

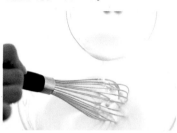

③①のボールに②のゼラチン液を少しずつ加えて、混ぜあわせる。

●ゼラチン液を直接加えるとダマになってしまうので、クリームチーズ液を少し加えてから混ぜるのが、ポイントです。

④別のボールに生クリームを入れ、ボールの底を氷水をあてて三分立てにしたものを加え、混ぜあわせる。

### 4.型に流して、冷やす

焼き上がりを完全に冷ました型に流し入れ、冷蔵庫に2〜3時間入れて冷やし固める。

### 5.トッピングをする

ボールにトッピング用の生クリームとグラニュー糖を入れ、底を氷水にあてながら七分通り泡立て、冷やし固めた型に流して、冷蔵庫に15分ほど入れる。

●食べごろと保存
トッピングの生クリームが冷え固まったら食べごろ。保存はラップをかけて、冷蔵庫で2〜3日。

## 材料（18cmの丸型1個分）

底生地
- グラハムクラッカー………80g
- バター………40g

レア・チーズケーキ
- クリームチーズ………200g
- グラニュー糖………70g
- 牛乳………60ml
- 板ゼラチン………7g
- 白ワイン………大さじ2
- 生クリーム………160ml

トッピング
- 生クリーム………100ml
- グラニュー糖………小さじ2

●オーブン温度・170℃　　●焼き時間・6〜7分
●12等分して1人分238kcal

●おいしさのプロフィール
ヨーグルトを入れたり、レモンの風味をきかせたさわやかなタイプではなく、
クリーミィでまったりした舌ざわりのチーズケーキです。
ティータイムにはもちろん、ディナーのしめくくりとしても充分に楽しめるリッチな味わいです。

●グラハムクラッカー
全粒粉で作られたクラッカー。手に入ら
ない場合は、好みのクラッカーや油脂
分の少ないクッキーなどで代用します。

# カスタードプディング
## *C u s t a r d   P u d d i n g*

**●おいしさのプロフィール**
バニラビーンズのほのかな香りとキャラメルの香ばしさのグッド・マッチング。そしてなめらかな舌ざわりがおいしい。キャラメルの色はあまり濃すぎないほうが、見た目も味も上品に仕上がります。

## 材料（直径18cmの丸型1個分）

キャラメル
  ┌ 水………60ml
  └ グラニュー糖………100g
カスタード
  ┌ 卵………2個
  │ 卵黄………4個
  │ グラニュー糖………115g
  │ 牛乳………500ml
  └ バニラビーンズ………1本

●オーブン温度・180℃　●焼き時間・40〜50分
●12等分して1切れ137kcal

## 1.下準備をする

①バニラビーンズは縦半分に切り分けて、種をしごきだす（詳しくはP15参照）。手に入らない場合はバニラエクストラ小さじ2で代用する。
②湯せん用の湯をわかす。
③焼くまでに、オーブンを180℃に温める。

## 2.型にキャラメルを流す

③静かに混ぜあわせたら、こす。

鍋に水とグラニュー糖を入れて、P67を参照してキャラメルをやや薄めの色に作り、型に流して冷まし固める。

④表面に浮いた泡をペーパータオルでとり除く。

## 3.生地を作る

①鍋に牛乳とバニラビーンズをさやごと入れて、沸とうするまで温める。

②ボールに卵と卵黄、グラニュー糖を入れてホイッパーで混ぜ、グラニュー糖が溶けたら①を少しずつ加える。

## 4.焼く

①型に流して天板におき、約80℃の湯を天板に2cmくらい注いでから、180℃のオーブンで40〜50分焼く。

②焼き上がりが冷めたら冷蔵庫で冷やし、食べるときに型からだす（詳しくはP87参照）。

**●食べごろと保存**
冷たく冷えたら、食べごろ。保存はラップをかけて、冷蔵庫で約5日間。

## 材料（直径7cmのもの8個分）

マンゴー（完熟）………正味225g
牛乳………150ml
コンデンスミルク………大さじ1½
オレンジジュース………90ml
┌ 板ゼラチン………7g
└ 桂花陳酒………大さじ1
┌ 生クリーム………100ml
└ グラニュー糖………30g

●1人分121kcal

●マンゴー
メキシコ・マンゴー（写真右）はやや大きめなので、
1個で正味225gは充分とれます。
フィリピン・マンゴー（写真左・別名ペリカン・マンゴー）
は小さめなので、2〜3個必要です。

●おいしさのプロフィール
クリーミィな舌ざわりの中にも、マンゴーの味と香りがさわやかです。型を使わず、
ワイングラスなどで冷やし固めても、おしゃれです。

## 1.下準備をする

①マンゴーの皮をむいて実を切り
とり、種のまわりは手でこそぎとる。

②板ゼラチンを冷水につけてふや
かしてから水気を絞って小さなボー
ルに入れ、桂花陳酒を加えて、電
子レンジまたは湯せんで溶かす。

③氷水を用意する。

③別のボールで生クリームとグラ
ニュー糖を氷水にあてながら三分
立てくらいにしたものを加えて、混
ぜあわせる。

## 2.生地を作る。

①フードプロセッサーにマンゴーを
入れてピュレ状にし、牛乳とコン
デンスミルク、オレンジジュースを
加え混ぜる。

②溶かしておいたゼラチン液を加
えて混ぜあわせ、ボールにあけ、
ボールの底を氷水にあてて静か
に混ぜあわせる。

## 3.冷やし固める

型を水にくぐらせて内側をぬらして
から、生地をレードルですくって型
の九分目まで入れ、冷蔵庫に約3
時間入れる。

●食べごろと保存
冷蔵庫で冷え固まったら、食べごろ。保存
はラップをかけて、冷蔵庫で約5日間。

●桂花陳酒（ケイカチンシュ）
白ワインにきんもくせいの花を
漬け込んだ中国の酒。500ml
入りで¥650くらい。手に入ら
ない場合は白ワインまたは水
で代用します。

*Bavarois à la Mangue*

マンゴーババロア

# シャンパン
## *Gelée au Champagn*

### 1.下準備をする

①板ゼラチンは冷水につけて、ふやかす。
②冷やすまでに、氷水を用意する。

### 2.ゼリー液を作る

①鍋に水とグラニュー糖を入れて火にかけ、グラニュー糖が溶けたら火からおろし、板ゼラチンの水気を絞って加え、溶かし混ぜる。

●スパークリングワイン
シャンパンは、フランスのシャンパーニュ地方で生産される発泡性のワイン。そのほかの土地で生産される発泡性のワインはスパークリングワインと呼ばれ、値段は比較的安めです。ここで使ったのはスペイン産のロゼのスパークリングワインで375ml入りが¥700くらい。普通のワインを使う場合は、ワイン275mlに炭酸水100mlを混ぜて使ってください。

●おいしさのプロフィール
シャンパンを使うのはもったいないので、スパークリングワインまたはワインに炭酸水を足して作ります。火が通ってない分、アルコール分がそのまま残ってしまうので、お酒に弱いひとは気をつけてください。

## 材料（容量180mlのトールグラス約6個分）

ゼリー
- 水‥‥‥‥120ml
- グラニュー糖‥‥‥‥100g
- 板ゼラチン‥‥‥‥9〜10g
- ライムまたはレモンの絞り汁‥‥‥‥小さじ1
- スパークリングワイン‥‥‥‥375ml

フルーツのマリネ
- ラズベリーやいちごなど‥‥‥‥各適量
- グラニュー糖‥‥‥‥小さじ1〜2
- オレンジの絞り汁‥‥‥‥大さじ3

●1個分125kcal

# ゼリー

## 材料（容量100mlのデミタスカップ6個分）

濃いめにいれたコーヒー………500ml
グラニュー糖………50g
板ゼラチン………12g
好みで生クリームや牛乳など………少量

●1個分43kcal

### 1.下準備をする

①板ゼラチンを冷水につけて、ふやかす。

### 2.ゼリー液を作る

①濃いめにいれたコーヒーが熱いうちにグラニュー糖を加えて溶かし、板ゼラチンの水気を絞って加え、溶かし混ぜる。
②ボールの底を氷水にあてて、静かに混ぜながら冷やし、とろみがつき始めたらカップに入れる。
③冷蔵庫に2～3時間入れて、冷やし固める。
④好みで生クリームや牛乳などをかける。

②ボールにあけ、底を氷水にあてながらゴムべらで静かに混ぜ、粗熱がとれたらライム汁とスパークリングワインを加える。

③軽くとろみがついたら密閉容器などに流し、ラップを密着させてかけ、冷蔵庫2～3時間入れる。

### 3.フルーツの マリネを作る

ボールにラズベリーと縦4つ切りにしたいちごなどを入れ、グラニュー糖とオレンジの絞り汁をかけてあえ、冷蔵庫に30分入れる。
●オレンジの絞り汁は、オレンジジュースでもよく、ない場合は入れなくてもよい。

### 4.盛りつける

ゼリーをスプーンですくい、マリネと交互にグラスに入れる。

● 食べごろと保存
冷え固まったら、食べごろ。保存は、ラップをかけて冷蔵庫で約5日間。

コーヒーゼリー
*coffee Jelly*

● おいしさのプロフィール
甘いものが苦手なひとに受ける味。グラニュー糖を減らして作り、ガムシロップをかけてもいいでしょう。

● 食べごろと保存
冷え固まったら、食べごろ。保存は、ラップをかけて冷蔵庫で約5日間。

# レモンアイスクリー

*Lemon Icecream*

## 材料（約10皿分）

- 卵‥‥‥‥2個
- グラニュー糖‥‥‥200g
- レモンの絞り汁‥‥125ml
- バター‥‥‥‥30g
- レモンエクストラ‥‥小さじ1
- 生クリーム‥‥‥‥400ml
- 牛乳‥‥‥‥100ml

●1人分299kcal

③混ぜながら冷まし、冷めたらレモンエクストラと生クリーム、牛乳を加え、よく混ぜあわせる。

●レモンエクストラが手に入らない場合は、入れなくても。

## 2.冷やし固める

できれば金属製の保存容器に流し入れ、ラップをかけて、冷凍庫に約6時間入れる。

## 3.シェークする

①固まったらとりだし、フォークでくずしてフードプロセッサーかミキサーにかける。

●フードプロセッサーやミキサーがない場合は、スプーンでけずるようにしてみぞれ状にして冷やし固める作業を何回かくり返してください。

②なめらかなシェーク状になったら、もう一度密閉容器に入れ、冷凍庫に3時間入れて冷やし固める。

## 4.盛りつける

①ディッシャーまたは大きいスプーンを水につける。

②アイスクリームに刺し込んで丸い形になるようにすくい、グラスに盛りつける。

● 食べごろと保存
冷え固まったら食べごろ。保存は密閉容器に入れて冷凍庫に。日持ちさせたい場合は、生クリームと牛乳を沸とうさせてから使います。

●おいしさのプロフィール
アイスクリーム特有のクリーミィなおいしさに、レモンの香りと甘酸っぱさでさわやかをプラスした、上品な味わい。デザートとして、食事のしめくくりにも好評です。

## 1.生地のベースを作る

①鍋に卵とグラニュー糖、レモン汁、バターを入れてホイッパーで混ぜ、ごく弱火にかけ、絶えず混ぜながら火を通す。

②約15分火を通し、スプーンをつけてみて、背にコーティングができるくらいまでとろみがついたら、火からおろす。

# ミルク・シャーベット &スムージー

*Mint Milk Sherbet & Smoothie*

## 材料（約6皿分）

牛乳………330ml
グラニュー糖………50g
ミントの葉………適量
╎卵白………1個分
╎グラニュー糖………大さじ1

●1人分82kcal

●おいしさのプロフィール
やさしいミルクの味がおいしいシャーベット。ミントの葉は好みで、入れても入れなくても。

● 食べごろと保存
冷え固まったら食べごろ。保存は密閉容器に入れて、冷凍庫で約2週間。

## 1.下準備をする

ミントはきれいに洗い、大きい場合はちぎっておく。

## 2.生地のベースを作る

①鍋に牛乳とグラニュー糖50g、ミントの葉を入れて火にかけ、沸とうしたら火を止め、ふたをしてそのまま30分ほどおく。

②こしてボールに入れて、完全に冷ます。

③別の、水けも油けもないきれいなボールに卵白を入れ、グラニュー糖大さじ1を加えて角の先がおじぎするくらいまで泡立てる。（詳しくはP16参照）

④メレンゲに冷ました②を少しずつ加え、ホイッパーで混ぜあわせる。

## 3.冷やし固める

できれば金属製の保存容器に流し入れ、冷凍庫に3時間以上入れて冷やし固める。

## 4.スムージーを作る

①スプーンなどでほぐして、フードプロセッサーかミキサーに入れ、好みでミントを加える。

●フードプロセッサーやミキサーがない場合は、スプーンでけずるようにしてみぞれ状にしてから冷凍庫で冷やし固める作業を何回かくり返してください。

②なめらかなシェイク状になったら、スムージーのでき上がり。スプーンですくってグラスに入れる。

## 5.シャーベットを作る

もう一度密閉容器に流し入れ、冷凍庫に6時間入れて冷やし固める。

## 6.盛りつける

①ディッシャーまたは大きいスプーンを水につける。
②シャーベットに刺し込んですくい、グラスに盛りつける。

## 材料（約10皿分）

キャラメルババロア

- グラニュー糖………65g
- 水………小さじ4
- バター………20g
- 生クリーム………100ml

卵黄………3個
グラニュー糖………20g
板ゼラチン………6g
生クリーム………250ml
好みでアングレーズソース………適量

●1人分287個kcal

## 1.下準備をする

①板ゼラチンは冷水につけて、ふやかす。
②生クリーム100mlを電子レンジ強で50秒加熱して、使うまで冷めないようにしておく。
③冷やすときまでに、氷水を用意する。

● おいしさのプロフィール
大きな容器で固め、スプーンですくって盛りつけるスタイル。好みでアングレーズソースを敷き、上にコーヒー豆を飾れば、おしゃれです。セルクルに流して固め、切り分けスタイルにしても。

## 2.キャラメルクリームを作る

鍋にグラニュー糖65gと水を入れて弱火にかけ、木べらでグラニュー糖を溶かしたら、あとは混ぜずに火を通し、濃いキャラメル色になったら火からおろして、バターと温めた生クリーム100mlを加え混ぜる。

④火からおろして板ゼラチンの水気を絞って加え、余熱で溶かし混ぜてから、こしてボールに入れ、ボールの底を氷水にあてて静かに混ぜながら冷やす。

## 3.生地を作る

①ボールに生クリーム250mlを入れ、底を氷水にあてながら六分立てにして、使うまで冷蔵庫に入れておく。

⑤指でさわって冷たいと感じるくらいまで冷えたら、①の生クリームを少しずつ加えて、混ぜあわせる。
●冷やし過ぎると固まって、生クリームと混ざらなくなるので注意すること。

②別のボールに卵黄とグラニュー糖20gを入れてホイッパーですり混ぜ、白っぽくなったらキャラメルクリームを少しずつ加え混ぜる。

## 4.冷やし固める

密閉容器などに流して、冷蔵庫に2時間入れて冷やし固める。

●食べごろと保存
冷え固まったら、食べごろ。保存は、密閉容器に入れて冷蔵庫で約3日間。それ以上長くもたせたい場合は冷凍庫に。食べる前日に冷蔵庫に移して、解凍します。

③キャラメルを作った鍋に入れて弱火にかけ、木べらで絶えず混ぜながら、鍋底をかくと筋がつくくらいまでとろみをつける。

●アングレーズソース
厚手の鍋に牛乳225mlとバニラビーンズ½本分（なければバニラエクストラ小さじ1）、グラニュー糖20gを入れて、沸とう直前まで温める。ボールに卵黄2個を入れてほぐし、グラニュー糖40gを加えて溶かし混ぜたら、温めておいた牛乳液を少しずつ加えて混ぜあわせる。鍋にもどして火にかけ、絶えず混ぜながら火を通す。とろみがつき始めたらこしてボールに入れ、ボールの底を氷水にあてて冷ましたら、ラム酒大さじ2を加える。使うまで冷蔵庫に入れておくこと。

*Bavarois au Caramel*

キャラメルババロア

毎日でも作りたくなる

人気の
100円
ケーキ

# 100円ケーキの材料は、粉と卵とバ
# 保存がきいて、いつもキッチンにおし

まずは質のいい材料を、より安い値段で手に入れるのが、基本。
スーパーマーケットの特売日を見逃さないこと。
業務用の材料を扱っているような食材店を見つけること。
インターネット販売を利用することなどが、コツです。

## ● 小麦粉

この本でケーキ作りに使うのは、主に薄力粉です。厳密には等級がありますが、この本に紹介したケーキには料理・お菓子兼用の普及品を使いました。

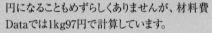

値段は、スーパーの特売の日には1kgが78円とか88円になることもめずらしくありませんが、材料費Dataでは1kg97円で計算しています。

●打ち粉に使う小麦粉は、サラサラしてベタつかない強力粉を使うのがよいとされています。ただし、手元にない場合は薄力粉でもかまいません。

## ● 卵

スーパーの特売の主役的存在で、安いときは10個入り1パックが78〜88円ということもあります。避けたいのは、水っぽくて、こしのない卵。日頃からスーパーの方針を研究して、質のいい卵が安くなっているかどうかを確認した上で、手に入れるようにしてください。材料費Dataは1個9.7円で計算しています。

## ● 砂糖

砂糖には上白糖、グラニュー糖、粉砂糖、ブラウンシュガー、三温糖、きび砂糖、黒砂糖など、多くの種類があります。一般にお菓子作りにはグラニュー糖がいいといわれますが、焼き菓子やクッキーには溶けやすい上白糖のほうが使いやすく、味の上でもそれほど差がありません。場合によっては三温糖やきび砂糖、あるいはブラウンシュガーを使ったほうが香ばしく

焼き上がり、おいしいと感じることもあります。

材料表で単に砂糖としてある場合は、上白糖あるいはグラニュー糖、三温糖のうち、好みで使ってください。材料費Dataは、スーパーの特売で上白糖のもっとも多かった値段・1kg97円で計算しています。

## ● バターとサラダ油

バターは、スーパーの特売では1箱200g入り178〜198円が多く見られます。食材店やインターネット販売では、食塩不使用・有塩どちらも、常時1箱450g入りが540〜780円くらいで手に入ります。バターは冷凍保存ができますから、大箱を買ったほうがお得です。

材料費Dataではバターは450g入り540円のものを参考に10g12円で計算。サラダ油は400g97円(大さじ1=15mlが2.4円)で計算しています。

なお、お菓子作りには食塩不使用のバターを使ったほうがよいとされますが、この本では使用量が70gまでなら、有塩と食塩不使用のどちらでもかまわないとして、単にバターと表記しています(多少例外あり)。好みでお選びください。

## ● 生クリームとサワークリーム

生クリームは、乳脂肪含有率が45〜47%と35〜38%のものの2種類が売られています。この本で紹介したケーキではどちらを使ってもかまいません。材料費Dataは35%のもの200ml258円で計算しています。

サワークリームは、1度にそれほどの量を使わないので、100ml入りのスモールサイズを使用。材料費Dataは100ml210円で計算。もちろん200ml入りのほうが割安ですから、残りは料理

に使ったりバター代わりとしてパンに塗って使い切るのもいいかもしれません。

## ● 牛乳とヨーグルト

牛乳もヨーグルトも、スーパーの特売日の目玉商品。材料費Dataは、牛乳が1000ml150円、ヨーグルトが500ml148円で計算しました。

## ● クリームチーズ

メーカーによって風味が微妙に違い、またやわらかさも違います。材料費Dataでは500g入り498円のオーストラリア製のもので計算しています。

## ● レーズン

アーモンドやくるみと並んで、焼き菓子作りによく使われる材料です。こういった輸入品は小分けにすればするほど値段が高くなりますから、大袋で手に入れ、友だちと分けあうのがおすすめです。保存はポリ袋に入れるかラ

ップなどに包んで、涼しく湿気のないところまたは冷蔵庫に入れておけば、半年は持ちます。

この本では、食材店で売られているアメリカ・カリフォルニア産の上質なレーズンを使い、材料費Dataはそのときの値段1kg500円を参考にして計算しました。

●レーズンをお菓子専用として長期保存したいときは、ラム酒漬けにしておきます。

# ターに、
# ておけるものを組みあわせます。

## ●アーモンド・スライス

アーモンドにはホール（粒）、クランチ（粗砕き）、スライス（薄切り）パウダー（粉）があります。この本では食材店で売られているアメリカ・カリフォルニア産の、主にスライスを使い、パウダーの場合はフードプロセッサーで細かく砕いて使いました。材料費Dataはそのときの値段1kg890円を参考にして計算しました。保存は、ラップなどに包んで冷蔵庫に。

## ●くるみ

中国産なら、200g入り1袋が3個で1000円とか比較的安いのですが、この本ではアメリカ・カリフォルニア産の上質なものを使用。材料費Dataは、食材店で手に入る1kg1280円を参考にして計算しました。保存は、ラップなどに包んで冷蔵庫に。

## ●乾燥プラム

すぐ食べられるやわらかいタイプを使用。種ありと種なしがあり、種ありのほうが種をとる手間はかかりますが、味は上です。この本ではアメリカ・カリフォルニア産の上質な、種ありタイプを使用。材料費Dataは、食材店で手に入る1kg700円を参考にして計算しました。

## ●チョコレート

お菓子作りに使われるチョコレートは、一般にクーベルチュールと呼ばれる種類のものがよく、この本ではビタースイートを使用しました。湯せんで溶かして使うので、溶けやすいタブレットタイプが便利です。なお、クーベルチュールが手に入らない場合は、おやつとして食べる板状のチョコレート（できればビタースイート）を使ってください。

値段は品質によって開きがあり、バレンタインデーやクリスマスシーズンのときは食材店で普及品なら200gが340円くらい、最高級のベルギー製なら190gが800円くらいで手に入ります。材料費Dataは100g175円で計算しています。

●ブロック状のチョコレートは、溶けやすいように、ほぼ同じ大きさに刻んでから使うようにします。

## ●ココアパウダー

飲料用と製菓用がありますが、どちらでもかまいません。この本ではベルギー産の上質な純ココアパウダーを使用。材料費Dataは、食材店で手に入る500g入り700円を参考にして計算しました。

## ●バニラビーンズ

場所によっては手に入らないことと、値段が高いのが欠点。1本250〜500円といったところでしょうか。材料費Dataは紅茶専門店で手に入る3本入り900円を参考。この本では1回に1〜2cmくらいしか使いませんので、1cm20円で計算。もちろん手元にない場合は、入れなくてもかまいません。

●バニラは種をしごきだし、使うまで砂糖と一緒にしておくと、乾燥したりなくしたりしません（P152参照）。残りは、ラップに包んで冷蔵庫の野菜室に保存。

## ●フレッシュ・フルーツと野菜

いちごは小さいほうが可愛らしく、使いやすいので、スーパーの特売でもいちばん安い小粒のとちおとめを使用。材料費Dataは42個入り298円を参考に1個7円で計算しています。

りんごは生食用の形のいいものは1個200円くらいしますが、お菓子作りには小さくて、多少キズのあるものでも大丈夫です。種類は紅玉またはサンふじ。甘酸っぱいほうがおいしいので、酸味の少ない場合はレモン汁を少量加えるようにしてください。材料費Dataはお菓子やジャム向きとして売られていた6個入り360円を参考に1個60円で計算しています。

バナナもスーパーの特売の常連。材料費Dataは5本入り100円を参考に1本20円で計算。室温に2〜3日おいて皮の表面にスイートスポットと呼ばれる黒点がでてから使ったほうが、香りよくでき上がります。

そのほかスーパーの特売を参考にして、レモンが1個33円、かぼちゃが100g39円、にんじんは1本（120g）50円で計算しています。

**お断り**

●この本で紹介するケーキについている材料費Dataは、ケーキの撮影時に買い求めた材料の値段を参考に計算しました。ただ時期や地域によって、多少の差がでてくるはずです。ただしその場合も、紹介したケーキはどれもごく基本的な材料を使ってシンプルに作り上げていますから、お店で買うよりは安く、かなりリーズナブルな値段でできるはずです。

●なお、ベーキングパウダーやベーキングソーダ、シロップ、打ち粉、型に塗るバターなどの少量しか使わないもの、揚げ油、好みで使うものは、材料表および材料費より省きました。

# ケーキを作る前に知ってほしい8

粉と卵とバターを中心に、いくつかの材料を組みあわせるだけで
いろいろなケーキが生まれてくるなんて、まるで魔法のよう。
成功の第一歩は、それぞれの材料をなじみやすい状態にしてあげること。
そして生地の状態を見守りながら作ること。
愛情をかけてこそ、おいしいケーキに仕上がります。

## 1. 粉類はふるってから、使います。

小麦粉や砂糖、ココアパウダーなどの粉状のものは、保存する間にかたまってしまうと、ほかの材料と混じりにくくなります。かならず使う前に、万能ふるいやざるでふるってください。

　小麦粉は、ベーキングパウダーやベーキングソーダ、ココアパウダーやシナモンパウダーなどとあわせて使う場合は、あらかじめよく混ぜあわせてから、台の上にオーブンペーパーなどを広げた上に、20〜30cmの高さからふり落とし、サラサラな状態にすると同時に、空気を含ませます。

## 2. 砂糖もふるいます。

砂糖は乾燥しやすく、保存する間にかたくなったり、かたまりになってしまうことがあります。使う前に、かたまりがあれば手でほぐし、ふるうようにしてください。

## 3. 冷蔵保存の材料は、室温にもどします。

冷蔵庫で保存される卵やバター、チーズ、牛乳、ヨーグルト、生クリームなどは、冷蔵庫の中で5〜10℃に冷やされています。少なくとも使う20分前までにはとりだして、室温（この場合は19〜22℃）にもどしてください。（ただし生クリームは泡立てて使う場合のみ、使う直前まで冷蔵庫に入れておいてください。）

## 4. バターは、室温にもどして使う場合と冷やし固めた状態で使う場合があります。

バターをクリーム状に練って使う場合は、使う20〜30分前に冷蔵庫からとりだして室温（この場合は19〜22℃）におき、練りやすい状態にもどします。スプーンや指でおさえてみると、あとがつくぐらいのやわらかさが頃あい。室温が高すぎてバターの角がくずれ、グシャッとつぶれるようならやわらかすぎますから、冷蔵庫で少し冷やしてから使うようにしてください。

　スコーンやホットビスケット、パイ生地、フードプロセッサーで作る場合のタルト生地などには、バターが冷え固まった状態で使います。この場合は、バターがなるべく溶けないように、あらかじめ5mm〜1cm角に切り分けてから、冷蔵庫で冷やし固めるのがコツです。

## 5. 卵を、卵黄と卵白に分けて使う場合

この本で使った卵はLサイズで、1個の重さは60g（卵黄20g、卵白40g）です。卵を卵黄と卵白に分けて使う場合は、卵を手に持ったらかならず平らな台の上に打ちつけて割れめをつけてから（ボールの縁などに打ちつけると、卵の殻が砕けてかけらが入り込みやすくなりますから注意してください）、殻を左右に分けて卵白だけを下においたボールなどの中に落とし、卵黄は殻ですくって別のボールに入れます。メレンゲを作るときは特に、卵白に卵黄が混じってしまうと泡立たなくなってしまうので気をつけてください。

●ケーキ作りでは、卵白だけが残ることが多いもの。その場合は、
①フリーザーバッグなどに入れて、平たくして冷凍。
②使うときは、1個分40gを目安にして小さく割って必要分だけとりだします。

## 6. 焼き型は、下準備をします。

**●底と側面に紙を敷く場合**

紙を敷く場合は、製菓材料店で敷き紙として売られているものを使えば、かんたん。ない場合は、オーブンペーパーを切って敷き込んでください。

**●おいしそうな焼き色をつけて、香りよく焼きたい場合**

①型の内側に室温にもどしたバターを刷毛でたっぷりと塗り、冷蔵庫に入れて冷やします。

②打ち粉(できれば強力粉)を薄くふって、余分な粉を落とします。

**●シフォン型とタルト型には、**例外(この本ではP146のバナナのプリンタルト)を除いて、下準備の必要はありません。なお、フッ素加工されたシフォン型は使えません。

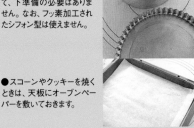

**●スコーンやクッキーを焼くときは、天板にオーブンペーパーを敷いておきます。**

## 7. マシーンをうまく利用します。

100円ケーキは食べ切りサイズなので、1回に作る生地の量は多くありませんが、ハンドミキサーやフードプロセッサーを使ったほうが、材料どうしがよく混ざりあい、時間も短縮できて、便利です。

**●クイジナート スマート パワー ハンドミキサー**

この本の中で使ったハンドミキサーは、クイジナートの最新式のもので、スマートパワーという名前の通り、力が強く、生地がアッという間にでき上がります。

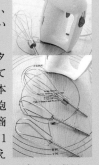

すぐれているのは、バターを練ったり全卵を泡立てたりするためのビーター2本と、卵白と生クリームの泡立て専用のホイッパー(商品名はバルーンウィスク)1本がついていて、つけ替えながら生地作りをできる点。スピードも5段階の切り換えができます。

①少量のバターを練る場合は、まずゴムべらで練りやすくして

②スピードは1(低速)から始め

③ボールの側面についた分を中央に集めながらが、コツです。

**●クイジナート フードプロセッサー**

アーモンドスライスをパウダーにしたり、くるみを刻んだりが、フードプロセッサーを使うとアッという間にできて便利です。さらにタルト生地やパイ生地作りもかんたんです。

クイジナート スマートパワーハンドミキサーとフードプロセッサーについてのお問いあわせは、株式会社クイジナート サンエイ☎0120-191-270

## 8. オーブンの温度と焼き時間は、目安です。

この本で使ったオーブンはガスオーブンで、中段または下段で焼くようにします。電気オーブンを使う場

合は、表示より10℃高くしたほうがいいかもしれません。いずれにしてもオーブンは1台1台に多少の違いがありますから、オーブン内の様子を見ながら加減するようにしてください。焼き具合のチェックは、ケーキの中央に竹ぐしを刺してみて、先の部分に何もついてこなければ火が通っています。

ホールで、100円

# ジャムロール

*Jam Roll*

## 材料
### （29×25cmの天板1枚分）

ロール生地
- 卵⋯⋯⋯3個
- 砂糖⋯⋯⋯65g
- 薄力粉⋯⋯⋯50g
- 生クリーム⋯⋯⋯30ml

シロップ（P108参照）⋯⋯⋯適量

バナナジャム（P109参照）
⋯⋯⋯バナナ2本分

- ●オーブン温度・190℃
- ●焼き時間・11分
- ●8等分して1切れ116kcal

●材料費Data
卵3個⋯¥29.1
砂糖65g⋯¥6.3
薄力粉50g⋯¥4.9
生クリーム30ml⋯¥38.7
バナナジャム⋯¥50

**1本 ¥129**

●おいしさのプロフィール
これも、スポンジケーキの仲間です。ふわふわの生地を
ロールに巻いた中には、バナナのジャム。バナナのほのかな甘さ、
香り、酸味を味わえます。

## 1.下準備をする

①薄力粉は2回ふるう。

②湯せん用の湯をわかす。

③生クリームを約40℃の湯せんにかけ、冷めない
ようにしておく。

④天板は2枚重ね、中に紙を2枚重ねて敷き込む。

⑤焼くまでに、オーブンを190℃に温める。

## 2.生地を作る。

①大きめのボールに卵を入れてホイッパーでほぐし、砂糖を加え、ボールの底を湯せん（約60℃）にあてながらハンドミキサーの低速で泡立て始める。全体が白っぽく泡立ち、指をさし込んでみて人肌程度（約40℃）に温まっていれば、湯せんからはずす。（詳しくはP10参照）

②ハンドミキサーのスピードを上げながら泡立て続け、ビーターを持ち上げて文字が書けるくらいまでもったりしてきたら、低速にして、きめが細かく、全体にクリーミィな状態にする。

## 3.粉を加える

ボールに薄力粉をふるいながら加え、ゴムべらに持ちかえて、ゆっくり大きな動きで混ぜあわせる。

## 4.生クリームを加える

温めておいた生クリームを一度に加え、ゴムべらで全体に混ぜあわせる。

# 5.天板に流す

①生地を天板の中心から落とし入れ、全体に広げる。

②四隅の部分にもゴムべらできちんとのばし入れる。

③カードで表面を平らにならす。

# 6.焼く

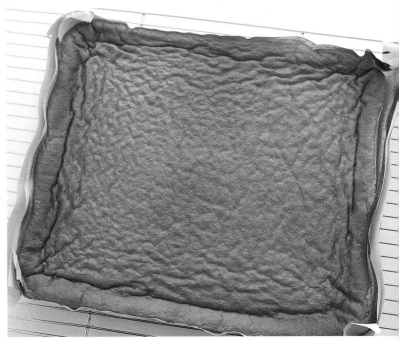

190℃のオーブンで約11分焼き、紙ごとはずしてクーラーの上にのせる。乾燥を防ぐために表面をアルミホイルなどでおおい、台の上に直接おいて、冷ます。

# 7.紙をはがす

巻き上げる直前に紙を静かにはがしとる。

## 8.巻きやすくする

①ケーキを表にしたいほうを下にして縦長におき、左側の端を斜めに切り落とす。
これは、巻き終わりの形をよくするための技です。

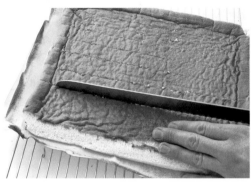

②ケーキの表面に、約3cm幅の縦の切り込みを浅く入れる。

●これは、巻くときにケーキが割れてしまうのを防ぎ、巻きやすくするための技です。表側まで切ってしまわないように気をつけてください。

③切り込みを入れた面全体にシロップを刷毛でふくませる。しっとりすれば全量使わなくてもよい。

●刷毛で軽くたたくようにして、シロップをふくませます。刷毛で塗ろうとすると、ケーキを傷つけてしまうので気をつけてください。

●シロップ
電子レンジで作る場合は、耐熱性のボールに水大さじ4と砂糖大さじ2〜3を入れて強で20秒加熱したらとりだし、混ぜあわせてから強でさらに30秒加熱します。でき上がったら、好みでラム酒やブランデーを小さじ1ほど加えると、さらに風味よくなります。

## 9.巻き上げる

①紙を敷いた上に、ケーキを（斜めに切り落としたほうを向こう側にして）横長におき、手前にバナナジャムを細長くしてのせる。

②巻き始めになる手前のほうに少し多めに残してから、スパチュラなどを使って全体に薄くのばす。

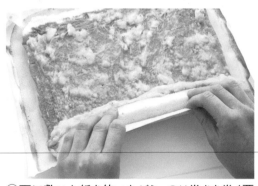

③下に敷いた紙を使いながら、のり巻きを巻く要領で、手前からくるくると巻いていく。

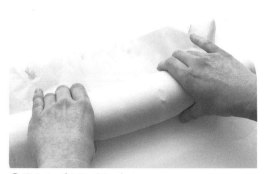

④巻き上げたら、紙で包む。

## 10.落ち着かせる

巻き終わりが下になるようにして、涼しいところにしばらくおいて形を落ち着かせる。(本間)

●暑い季節や室温が高い場合、あるいはクリームを巻き込む場合などは、冷蔵庫に入れて冷やし固めるようにしてください。

●食べごろと保存
ジャムが落ち着いたら、食べられます。保存はラップで包んで冷蔵庫に入れ、2日以内に食べ切るようにします。

# バナナジャム
## Banana Jam

### 材料（約270g分）

バナナ………2本
砂糖………大さじ1〜2
レモンの絞り汁…大さじ1

●材料費Data
バナナ2本…¥40
砂糖大さじ1〜2…¥2
レモンの絞り汁大さじ1…¥8.3

約270g
¥50

### バナナジャムを作る

①バナナを薄切りにする

②鍋にバナナを入れ、砂糖とレモン汁をふりかける。

③弱火にかけ、ゴムべらでつぶしながら、透明感がでるまで煮る。(本間)

●食べごろと保存
冷めたら、食べられます。保存はラップをかけて冷蔵庫に入れ、2日くらいで食べ切ります。

●おいしさのプロフィール
かんたんに作れ、バナナのほのかな香りと甘酸っぱさがおいしいジャム。ロールケーキに巻くほか、ガトー・ショコラ（P150）に添えたり、少量をそのまま食べても。バナナは熟れすぎくらいのもののほうが香りよく煮上がります。

# スポンジ・カスタ
## *Sponge Custard*

## 1.下準備をする

①薄力粉とベーキングパウダーはあわせて、ふるう。
②オーブンペーパーの中心に直径18cmの円の印をつけて、天板に敷き込む。
③焼くまでに、オーブンを180℃に温める。

## 2.生地を作る。

①油気も水気もついていない、大きめのボールに卵白を入れ、途中で塩と砂糖を加えながら、ハンドミキサー（ホイッパー使用）で角が立つまでしっかりと泡立てる。（詳しくはP16参照）

②別のボールに卵黄と砂糖を入れて、ハンドミキサー（ビーター使用）でもったりするまで泡立てる。

●おいしさのプロフィール
スポンジ生地を型に入れないで、直接天板にのせて焼き上げます。仕上げは、横に半分に切って、クリームをはさむだけ。素朴なおいしさを楽しめます。

ード

## 材料（直径約20cmの円形1個分）

**スポンジ生地**
- 卵白………3個分
- 塩………少量
- 砂糖………40g
- 卵黄………2個
- 砂糖………40g
- 薄力粉………100g
- ベーキングパウダー…小さじ½弱

**クリーム**
- カスタードクリーム…約300g
- 好みでラム酒………大さじ1
- 生クリーム………40ml

いちご………4個

粉砂糖………少量

- ●オーブン温度・180℃
- ●焼き時間・20〜25分
- ●8等分して1切れ211kcal

●材料費Data
卵3個…¥29.1
砂糖80g…¥7.8
薄力粉100g…¥9.7
カスタードクリーム約300g…¥69
生クリーム40ml…¥51.6
いちご4個…¥28

1ホール
¥195

③卵白に卵黄を加えて、ゴムべらで混ぜあわせる。

④薄力粉＋ベーキングパウダーをふりながら加えて、ゴムべらで混ぜあわせる。

## 3.焼く

①生地を天板につけておいたオーブンペーパーの印に沿って、直径18cmの半球状にのせる。

②180℃のオーブンで20〜25分焼き、オーブンペーパーごとクーラーの上にのせて冷ます。

●しっとりした舌ざわりが好きな場合は、粗熱がとれた段階でラップに包んで、冷ましてください。

## 4.クリームを作る

①カスタードクリームをやわらかく練り直してから、好みでラム酒を加え混ぜる。

②生クリームを八分立てにして、加え混ぜる。

## 5.クリームをはさむ

①ケーキの厚みを半分に切り分ける。

# カスタードクリーム
## Custard Cream

② ケーキの下半分にクリームをのせて、スパチュラなどで全体に広げる。

● しっとりした舌ざわりが好みなら、ここでシロップ（P108参照）を刷毛で塗ってもいいのですが、塗らなくても少しすればクリームがなじんでしっとりとしてくるはずです。

③ いちごを縦半分に切り分けてから、縁に沿って飾り、ケーキの上半分をかぶせる。

● いちごのほか、みかんやオレンジなど酸味のあるフルーツがあいます。

④ 中心を手で軽くおさえてなじませてから、粉砂糖をふりかける。

● 食べごろと保存
クリームがなじんだら、食べられます。できればその日のうちに食べ切りますが、残ってしまった場合はラップで包んで冷蔵庫に入れ、次の日には食べ切ります。

## 材料（約300g分）

| | |
|---|---|
| 卵黄 | 2個 |
| 砂糖 | 50g |
| 薄力粉 | 25g |
| 牛乳 | 200ml |
| バター | 10g |

● 材料費Data
卵黄2個…¥19.4
砂糖50g…¥4.9
薄力粉25g…¥2.4
牛乳200ml…¥30
バター10g…¥12

約300g
¥69

### 1.材料を混ぜあわせる

① 鍋に卵黄と砂糖、薄力粉を入れて、混ぜあわせる。

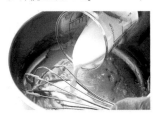

② 牛乳50mlを加えて混ぜあわせ、薄力粉をよく溶かし込む。

③ 残りの牛乳150mlを加え、混ぜあわせる。

● 牛乳を一度に加えると、ダマができてしまうので、めんどうでも少しずつ加えるようにしてください。

● おいしさのプロフィール
誰からも愛される、家庭的な味わいのクリーム。日保ちがしないので、1回で食べ切れる量を紹介します。残った卵白は冷凍保存して（詳しくはP102参照）、アーモンドケーキやシフォンケーキなどメレンゲを使うお菓子に役立つようにします。

● 食べごろと保存
作ったその日のうちに食べ切るようにします。残った場合はラップに包んで冷蔵庫に入れ、次の日には食べ切るようにします。特に梅雨の季節や暑い季節には気をつけてください。

### 2.火を通す

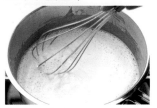

① 鍋を中火強にかけ、ゴムべらまたはホイッパーで絶えず混ぜながら火を通す。

② だんだんとろみがついてきたら、さらに混ぜ続け、しっかりした状態になるまで一気に煮上げる。

③ 鍋底からプクッと泡がひとつかふたつ上がってきたら、火からおろし、バターを加えて余熱で溶かし混ぜる。

### 3.冷ます

少量なのでラップを広げた上にあけ、包んで冷まし、使うまでこの状態で冷蔵庫に入れておく。

# リア・サンドイッチ

### *Victoria Sandwich*

## 材料
### （直径18cmの丸型1個分）

ココア入りスポンジケーキ
- 卵………3個
- 砂糖………90g
- 薄力粉………70g
- ココアパウダー………20g
- バター………20g

クリーム
- クリームチーズ………75g
- 砂糖………大さじ1½
- 牛乳………大さじ1〜2

粉砂糖………少量

●オーブン温度・170℃　●焼き時間・25分
●8等分して1切れ170kcal

●材料費Data
卵3個…¥29.1
砂糖100g…¥9.7
薄力粉70g…¥6.8
ココアパウダー20g…¥28
バター20g…¥24
クリームチーズ75g…¥75
牛乳大さじ1〜2…¥2.3

**1ホール ¥175**

●おいしさのプロフィール
ココア入りのスポンジケーキの間にクリームチーズをはさみました。生クリームをはさむよりコクがあって、クリームチーズ特有の酸味もおいしく味わえます。

## 1.下準備をする

①薄力粉とココアパウダーはあわせて、ふるう。
②バターは電子レンジまたは湯せんで溶かす。
③クリームチーズは室温にもどす。
④型の側面にバターを塗って小麦粉をふり、底に直径18cmの紙を敷く。
⑤焼くまでに、オーブンを170℃に温める。

## 2.生地を作る

①卵をボールに入れてほぐし、途中で砂糖を少しずつ加えながら、ハンドミキサーで字が書けるくらいまでもったりと泡立てる。

②薄力粉＋ココアパウダーをふりながら加え、ゴムべらで混ぜる

③溶かしバターを加え、全体に混ぜあわせる。

④生地を型の中心から流し入れる。

●オーブンが充分に大きく、焼き型が2個あれば、生地を半量ずつ入れて。こうすれば、焼き上がりに切り分ける手間がいりません。

## 3.焼く

170℃のオーブンで25分（半量ずつなら15分）焼き、型ごと逆さに返してクーラーの上におき、粗熱がとれたらラップに包んで冷ます。

●ラップをかけて冷ますと、しっとりとした舌ざわりになります。

## 4.クリームをはさむ

①クリームチーズをクリーム状に練って、砂糖を加え、牛乳を加えて塗りやすい状態にのばす。

②冷めたスポンジケーキを横半分に切り分け、下半分にクリームをスパチュラで塗り広げる。

③上半分をかぶせ、涼しいところにおくか冷蔵庫に入れて、クリームを落ち着かせる。（瀬尾）

●食べごろと保存
クリームが落ち着いたら、食べられます。保存はラップに包んで冷蔵庫に入れて、2〜3日。

# ミルクティーの<br>シフォンケーキ

*Tea Chiffon Cake*

## 材料
### （直径18cmのシフォン型1個分）

卵黄………3個
砂糖………20g
サラダ油………40g
{ 牛乳………150ml
{ 紅茶の葉………大さじ2
{ 薄力粉………80g
{ 紅茶の葉のすりおろし…大さじ½強
{ 卵白………3½個分（140g）
{ 塩………少量
{ レモン汁………小さじ⅛
{ 砂糖………50g

●オーブン温度と焼き時間・160℃で20分　150℃に落として約10分
●8等分して1切れ163kcal

●材料費Data

卵4個…･¥38.8
牛乳150ml…･¥22.5
紅茶の葉大さじ3…･¥96
薄力粉80g…･¥7.8
サラダ油40g…･¥9.6
砂糖70g…･¥6.8
レモン汁小さじ1/8…･¥1

**1ホール ¥183**

●おいしさのプロフィール
やわらかい舌ざわりの中にミルクティーの香りがほのかにして、プレゼントによろこばれるケーキです。

## 1.下準備をする

①薄力粉は2回ふるう。
②紅茶の葉のすりおろしは、乳鉢などで細かくすりおろすかティーバッグを利用して大さじ½を用意し、薄力粉とあわせてふるう。
③焼くまでに、オーブンを160℃に温める。

## 2.ミルクティーを作る

紅茶の葉はアールグレイやイングリッシュ・ブレックファーストなどのフルボディのものを選び、沸かした牛乳に加えて弱火で約4分煮だしてからこし、冷ましたもの65mlを使う。

●残ったミルクティーは泡立てた生クリームに加えて紅茶風味にするほか、牛乳を加えてロイヤルミルクティーにして飲んでください。

## 3.生地を作る

①ボールに卵黄を入れてホイッパーでほぐして砂糖を加え、白っぽくなるまですり混ぜたらサラダ油を少しずつ加え、マヨネーズのような状態になるまで混ぜたら冷めたミルクティー65mlを加え混ぜる。

②小麦粉＋粉状の紅茶の葉をふるいながら2回に分けて加え、そのつどホイッパーで混ぜて、ダマのない状態にする。

③メレンゲはP16を参照して作り、¼量を②のボールに加えてホイッパーで混ぜあわせ、残りも3回に分けて加えてゴムべらで混ぜあわせ、最後はメレンゲのボールに入れて、ムラなく混ぜあわせる。

## 4.型に流して、焼く

①型に流し入れて表面をならし、台にトントンと軽く打ちつけて空気を抜く。

②160℃のオーブンで20分焼き、150℃に落として10分焼く。焼き上がりを10cmくらいの高さから落として空気を抜いてから、逆さにして冷ます。3時間以上おいて完全に冷めたら、型からはずす。（詳しくはP18参照）（本間）

●食べごろと保存
型をはずしたら、食べられます。保存はラップで包んで冷蔵庫に入れ、3日くらいで食べ切るようにします。

# アーモンドケーキ
## *Almond Cake*

## 材料
### （18×6×7cmのパウンド型1個分）

型用のアーモンドスライス………25g
卵白………2個分
塩………少量
砂糖………70g
アーモンドスライス………40g
薄力粉………50g
バター………35g
サラダ油………5g

●オーブン温度・170℃ ●焼き時間・25〜30分
●8等分して1切れ129kcal

●材料費Data
卵白2個分…¥19.4
砂糖70g…¥6.8
アーモンドスライス65g…¥57.9
薄力粉50g…¥4.9
バター35g…¥42
サラダ油5g…¥1.2

**1ホール ¥132**

● おいしさのプロフィール
カスタードクリームやお菓子作りで残ってしまいがちな卵白だけを
使って作ります。焼き立ては、外側がサクッ、中はしっとり。
食べるときにアプリコットジャムを添えると、さらにおいしく味わえます。

## 1.下準備をする

①バターとサラダ油を小さなボールなど
に入れ、50℃の湯せんにかけて溶かして、
冷めないようにしておく。

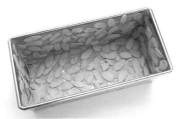

②型にバターをたっぷりと塗り、アーモン
ドスライスを1枚ずつ全体に張りつけ、使
うまで冷蔵庫に入れておく。

③焼くまでに、オーブンを170℃に温める。

## 2.粉類をあわせる

フードプロセッサーにアーモンドスライス
を入れて粉状にしたら、薄力粉を加えて、
混ぜあわせる。

●フードプロセッサーがない場合は、アーモンドパウ
ダー40gを使ってください。

## 3.生地を作る

①油気も水気もついていない大きめのボー
ルに卵白を入れ、途中で塩と砂糖を加
えながら泡立てて、つやのあるしっかりし
たメレンゲを作る。（詳しくは、P16参照）

②粉類をふるい入れて、ゴムべらでサッと
混ぜあわせる。

●③でも混ぜるので、この段階では完全に混ぜな
くてもかまいません。

## 4.型に入れる

③溶かしバター＋サラダ油を加え、全体
に混ぜあわせる。

●サラダ油を使うのは、口あたりを軽くするため。バ
ターだけ40gにしてもかまいません。

生地を型に流し入れ、表面を平らになら
したら、上面にもアーモンドスライスを1
枚ずつ重ならないように並べる。

## 5.焼く

170℃のオーブンで25〜30分、ふくれて
いた生地が少し沈み、型から離れるくら
いまで焼き、粗熱がとれたら型からはずし、
クーラーの上で冷ます。（本間）

●食べごろと保存
粗熱がとれれば食べられますが、次の日のほうがおい
しい。保存はラップで包んで、常温または冷蔵庫に
入れて3〜4日間。

# かぼちゃ入りパウ

*Pumpkin Pound Cake*

## 材料
### （15×7.5×4cmのパウンド型1個分）

バター………40g
砂糖………40g
卵………1個
{ 薄力粉………75g
{ ベーキングパウダー………小さじ1強
かぼちゃ（正味）………50g
乾燥プルーン………15g
牛乳………大さじ2

●オーブン温度・170℃　●焼き時間・35分
● 8等分して1切れ113kcal

●材料費Data
バター40g…¥48
砂糖40g…¥3.9
卵1個…¥9.7
薄力粉75g…¥7.3
かぼちゃ（正味）50g…¥30
乾燥プルーン15g…¥10.5
牛乳大さじ2…¥4.5

**1ホール ¥114**

● おいしさのプロフィール
切り口にかぼちゃとプルーンが散らばって、可愛らしい焼き上がり。ややしっとりした感じに仕上げるのがポイントです。

## 2.生地を作る

①ボールにバターを入れ、砂糖を加えながら、ハンドミキサーでフワッと白いクリーム状になるまで練ったら、卵をほぐして少しずつ加え混ぜる。

②かぼちゃの水気をきってからプルーンとあわせ、分量の薄力粉から少量とり分けてまぶす。

④残りの薄力粉＋ベーキングパウダーを加えて混ぜたら、牛乳を加え混ぜ、もったりした状態にする。
●ここで生地がかたいようなら、牛乳をさらに大さじ1ほど加えてください。

## 3.型に入れる

生地を型に入れて表面を平らにしたら、中央にゴムべらで縦の筋をつける。
●ここでは使い捨ての紙の型を使っています。金属製の型を使う場合は、P103を参照してバターを塗ってから粉をふってください。

## 4.焼く

170℃のオーブンで約35分焼き、クーラーの上で冷ます。焼き上がりにかたく絞ったぬれぶきんをかぶせるか、粗熱がとれた段階でラップで包んで冷ますと、しっとりした口あたりに仕上がる。（瀬尾）

## 1.下準備をする

①バターは室温にもどす。

②かぼちゃは皮と種をとって1cm角に切り、耐熱皿に並べてラップをかけ、電子レンジ強で2分加熱して、そのまま冷ます。乾燥プルーンは種をとって、粗く刻む。
●電子レンジで加熱すると、どうしても口あたりはかたくなります。嫌な場合はめんどうでも蒸し器を使って蒸してください。

③焼くまでに、オーブンを170℃に温める。

③①のボールに薄力粉＋ベーキングパウダーの⅓量をふるい入れてゴムべらで混ぜあわせ、残りの薄力粉＋ベーキングパウダーの半量を加えたらかぼちゃとプルーンを加えて、混ぜあわせる。

●食べごろと保存
粗熱がとれたら、食べられます。保存はラップに包んで常温または冷蔵庫に入れます。

# 100円で、たくさん

# コーンスコーン

## Corn Scones

**材料**
**（直径7cmのもの8個分）**

| | |
|---|---|
| コーングリッツ……… | 80g |
| 薄力粉……… | 170g |
| ベーキングパウダー… | 小さじ1½ |
| 砂糖……… | 80g |
| バター……… | 50g |
| 卵……… | 1個 |
| 牛乳……… | 大さじ2 |

好みでコーングリッツ……… 少量

●オーブン温度・180〜160℃
●焼き時間・20分　●1個212kcal

●材料費Data

コーングリッツ80g…¥27.2
薄力粉170g…¥16.5
砂糖80g…¥7.8
バター50g…¥60
卵1個…¥9.7
牛乳大さじ2…¥4.5

**6個**
**¥100**

●コーングリッツ
粗挽きのとうもろこし粉。手に入らない
場合は、コーンミール（とうもろこし粉）
で作ってください。

●おいしさのプロフィール
とうもろこし特有の香りとグリッツ〈粗挽き〉特有のつぶつぶ感が
おいしい、スコーンです。
砂糖を多めに入れてあるので、ジャムをつける必要はありません。

# 1.下準備をする

①卵はほぐし、牛乳と混ぜあわせる。
②バターは1cm角に切り、冷蔵庫で冷やし固める。
③天板にオーブン・ペーパーを敷く。
④焼くまでに、オーブンを180℃に温める。

# 2.生地を作る

①ボールにコーングリッツと薄力粉、ベーキングパウダー、砂糖をふるいながら入れて、バターの小切りをのせ、スケッパーなどでバターをさらに小さく切りながら、粉に混ぜあわせる。

③卵十牛乳を加えながら、フォークでザッと混ぜあわせる。

④手でひとまとめにする。
●ボールの底のほうはまだ粉が残っていても、大丈夫。この段階ではポロポロした状態でもかまいません。

②両手の指先でバターを粉にすりあわせ、さらに両手で手早くすりあわせながら、細かい砂状にする。

124

# 3.型で抜く

①生地を台の上にだして両手で軽く練ってから、生地を手のひらでたたいて、2cm厚さにのばす。

●生地は最初ボロボロしても、3～4回練っているうちにまとまります。生地が手につかなくなればOK。

②2つに分けて重ね、また手のひらで2cm厚さにのばす。

●コーングリッツは粘性がないので、重ねても完全にはくっつきませんが、こうしておくと焼き上がりに横の切り込みが入って、食べるときに横に分けやすくなります。

③直径6cmの菊型で1個ずつ抜く。

④残った生地をまとめて2cm厚さにのばして、同じようにして全部で7個抜き、最後に残った生地は手で丸める。

# 4.焼く

①天板に間隔をあけて並べ、好みでコーングリッツを散らす。

②180℃のオーブンに入れ、色づき始めたら160℃に落として約20分焼き、クーラーの上で冷ます。

●食べごろと保存
クイックブレッドの一種なので、焼き立てがいちばんおいしい。保存する場合はラップに包んで、常温で1～2日。

# ヨーグルトのホットビスケット

## Hot Biscuits

### 1.下準備をする

①薄力粉とベーキングパウダー、塩、砂糖はあわせて、ふるう。
②バターはできるだけ細かく切り分け、冷蔵庫で冷やし固める。
③天板にオーブンペーパーを敷く。
④焼くまでに、オーブンを180℃に温める。

③ちりめんじゃことパセリを加え混ぜる。

### 2.生地を作る

①ボールに薄力粉＋ベーキングパウダー＋塩＋砂糖を入れて、バターの小切りをのせ、両手の指先でバターの粒を粉にすり混ぜながら、砂のような状態にする。

②ヨーグルトを加え、フォークでザッと混ぜあわせる。

●全部入れると、かなりやわらかい生地になります。好みで加減してください。

### 3.切り分ける

生地を台の上にだし、必要なら軽く打ち粉をして軽く練ってから、手のひらでたたいて約3cmくらいの厚さの長方形にし、カードなどで約3cm角に切り分ける。

●打ち粉をしすぎると、生地がかたくなり、焼き上がりのソフトな感触を損なってしまうので注意します。

### 4.焼く

①天板に間隔をあけて並べる。

②180℃のオーブンで10分焼いたら170℃に落として、さらに約10分焼き、クーラーの上で冷ます。

●食べごろと保存
焼き立てがいちばんおいしい。保存は完全に冷めてからラップで包み、常温で2～3日

## 材料
### （約4cm角のもの12～14個分）

| 薄力粉………200g
| ベーキングパウダー………小さじ1
| （食塩不使用バターのときのみ）塩…少量
| 砂糖………大さじ2
バター………40g
ヨーグルト（無糖）………150ml
ちりめんじゃこ………大さじ2～3
パセリのみじん切り………大さじ1～2

●オーブン温度と焼き時間・180℃で10分
　170℃に落として10分
●1個87kcal

●材料費Data

**7個 ¥100**

薄力粉200g…¥19.4
砂糖大さじ2…¥1.9
バター40g…¥48
ヨーグルト150ml…¥44.4
ちりめんじゃこ大さじ2～3…¥69
パセリのみじん切り大さじ1～2…¥2

●おいしさのプロフィール
スコーンのアメリカ版ですが、砂糖がほんの少ししか入らない、甘さ控えめタイプ。やわらかめの生地にして、ちりめんじゃことパセリを少しだけ焼き込んでみました。

## 材料
### （3cm長さのもの30〜35個分）

バター………20g
砂糖………25g
卵………1個
牛乳………大さじ2
薄力粉………150g
ベーキングパウダー……小さじ1½
塩………少量
ベーコン………薄切り2枚
好みのフレッシュハーブ………少量
揚げ油………適量

● 1個48kcal

● 材料費Data
バター20g…¥24
砂糖25g…¥2.4
卵1個…¥9.7
牛乳大さじ2…¥4.5
薄力粉150g…¥14.5
ベーコン2枚…¥100
好みのフレッシュハーブ少量…¥5

**22個**
**¥100**

● おいしさのプロフィール
フレッシュハーブの香りをきかせた、甘さ控えめのドーナッツ。ハーブはローズマリーやオレガノやバジル、パセリなど、香りのきついものがあります。フレッシュハーブが手に入らない場合は、小ねぎを刻んで入れても。

## 1.下準備をする

① バターは室温にもどす。

② 薄力粉とベーキングパウダー、塩はあわせて、ふるう。

③ ベーコンとハーブはみじん切りにする。

## 2.生地を作る

① ボールにバターを入れてホイッパーでクリーム状に練り、砂糖、卵の順に少しずつ加え、なめらかな状態になったら、牛乳を加える。

● バターが分離してしまうと、揚げるときに泡がでる原因になります。嫌な場合は溶かしバターにして、溶き卵、砂糖、溶かしバター、牛乳の順に加えてください。

② 薄力粉＋ベーキングパウダー＋塩とベーコン、ハーブを加え、ゴムべらでサッと混ぜあわせる。

③ 生地を手でボールの側面に押しつけるようにしながら、ひとまとめにする。

## 3.形作る

生地を台の上にだし、打ち粉をふってからめん棒で7mm厚さにのばし、ひと口大に切り分ける。

## 4.揚げる

揚げ油を160℃くらいの低温に熱した中に生地を5〜6個ずつ入れて、ときどき返しながら火を通す。全体にきつね色の色がついたら油をきり、揚げ網の上で完全に油をきる。（瀬尾）

● 食べごろと保存
揚げ立てがいちばんおいしく、できればその日のうちに食べ切ります。保存はラップをかぶせて常温におきますが、1日たつと味は落ちます。

*Herb Doughnuts*

ハーブドーナッツ

# のクッキー

## *Brown Sugar Cookies*

### 材料
### （3cmの長方形約34個分）

バター………70g
きび砂糖………30g
アーモンドパウダー……25g
薄力粉………85g

●オーブン温度・160℃
●焼き時間・15分　●1個32kcal

●材料費Data　25個 ¥100
バター70g…¥84
きび砂糖30g…¥19.2
アーモンドパウダー25g…¥24.5
薄力粉85g…¥8.2

●おいしさのプロフィール
ミネラルたっぷりのきび砂糖の風味を
生かした、サクサクの口あたりの、シン
プルなクッキー。きび砂糖はメーカーに
よって風味や色が違うので、好みのも
のを選んでください。

## 1.下準備をする

①バターは室温にもどす。
②アーモンドスライスはフードプロセッサーで粉状
にする。フードプロセッサーがない場合はアーモン
ドパウダーを使う。
③天板にオーブンペーパーを敷く。
④焼くまでに、オーブンを160℃に温める。

## 2.生地を作る

①ボールにバターを入れてゴムべらでほぐして練り
やすくしてからハンドミキサーの低速で練り始め、
ときどきボールの側面についたバターを中央にゴ
ムべらでよせながらだんだん高速にしてクリーム状
にしたら、きび砂糖を2〜3回に分けて加え、練り
混ぜる。さらにアーモンドパウダーを加え混ぜる。

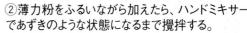

②薄力粉をふるいながら加えたら、ハンドミキサー
であずきのような状態になるまで攪拌する。

③生地をゴムべらで混ぜながら、ひとまとめにする。
●暑い季節や室温が高くて、生地がだれるようであれば、冷蔵庫に入れて
少し冷やしてください。

# 3.形作る

①生地を台の上において手でよく練ってから、まず適当な長方形にまとめ、そのあと両手をあてて、前後にグルグル動かしながら直径3cmほどの円筒形にする。

●生地の練り方が足りないと、焼く間に形がくずれてしまうことがありますから、気をつけてください。

②生地の両側に2cm幅の板2枚をあてて、その上からめん棒をころがして、きれいな長方形の棒状に整える。

●板がない場合は、手で適当に棒状になるように整えてください。

③棒状にした生地をラップで包み、冷蔵庫で3時間以上やすませる。

# 4.切り分ける

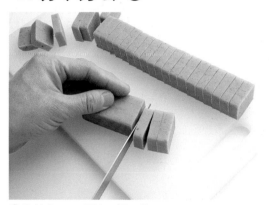

①生地を7mm厚さに切り分ける。

②天板に間隔をおいて並べる。

# 5.焼く

160℃のオーブンで約15分焼き、クーラーにのせて冷ます。(本間)

●食べごろと保存
冷めれば、食べられます。保存は密閉容器などに入れて、常温で1週間くらい。湿気を吸ってしまったときは、150℃くらいのオーブンで乾燥焼きしてから食べます。

# 三温糖とくるみのクッキー
## *Walnuts Cookies*

### 材料
### （直径3cmのもの約25個分）

バター………70g
三温糖………30g
アーモンドパウダー………25g
薄力粉………85g
くるみ………30g

●オーブン温度・160℃
●焼き時間・15分　●1個52kcal

●材料費Data
バター70g…¥84
三温糖30g…¥5.4
アーモンドパウダー25g…¥24.5
薄力粉85g…¥8.2
くるみ30g…¥38.4

16個
¥100

●おいしさのプロフィール
三温糖とアーモンドとローストしたくるみの香ばしさがトリプルで味わえる、素朴なクッキー。手でコロコロと丸めるほか、型抜きやスライスにしても。くるみの代わりにレーズンやアーモンドを使っても、おいしくできます。

## 2.生地を作る

①きび砂糖のクッキーを参照してバターを練り、三温糖、アーモンドパウダー、薄力粉の順に加え、ハンドミキサーであずきのような状態にしたらくるみを加え、全体に混ぜあわせる。

②ひとまとめにして約2cm厚さの長方形にしてからラップで包み、冷蔵庫で1時間ほどやすませる。

## 3.丸める

①生地をナイフで25〜30等分に切り分けてから、手のひらで1個ずつひと口大に丸める。

②皿などの上において人さし指で上から軽くおさえてから、ラップをかぶせ、冷蔵庫に入れて1時間以上やすませる。

## 4.焼く

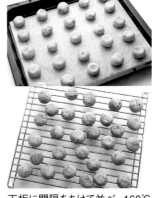

天板に間隔をあけて並べ、160℃のオーブンで約15分焼き、クーラーにのせて冷ます。（本間）

## 1.下準備をする

①バターは室温にもどす。
②くるみは150℃のオーブンで8〜10分焼いてから、粗く刻む。
③天板にオーブンペーパーを敷く。
④焼くまでに、オーブンを160℃に温める。

●食べごろと保存
冷めれば、食べられます。保存は密閉容器などに入れて、常温で1週間くらい。湿気を吸ったときは、150Cくらいのオーブンで乾燥焼きにしてから食べます。

## 材料
### （5cm角のもの約14個分）

バター………65g
粉砂糖………40g
卵黄………1個
┌薄力粉………75g
└シナモンパウダー…小さじ½
アーモンドスライス………40g

● オーブン温度・160℃
● 焼き時間・10〜15分
● 1個88kcal

● 材料費Data
バター65g…¥78
粉砂糖40g…¥14.4
卵黄1個…¥9.7
薄力粉75g…¥7.3
アーモンドスライス40g…¥35.6

**10個 ¥100**

● おいしさのプロフィール
サクサクした歯ざわりがおいしいクッキー。アーモンドのかわりにココナッツ（ファイン）で作っても、また違ったおいしさを味わえます。

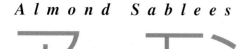

*Almond Sablees*

# アーモンド・サブレ

## 1.下準備をする

① バターは室温にもどす。

② アーモンドスライスはフードプロセッサーで粉状にする。

③ 天板にオーブンペーパーを敷く。

④ 焼くまでに、オーブンを160℃に温める。

## 2.生地を作る

① ボールにバターを入れ、途中で粉砂糖を2〜3回に分けて加えながら、ハンドミキサーでクリーム状に練ったら、卵黄を加えて混ぜる。

② 薄力粉＋シナモンパウダーをふるいながら加え、ゴムべらで混ぜあわせる。

③ アーモンドパウダーを加えて混ぜあわせ、粉気がなくなったらボールの中で手で軽く練り、生地をひとまとめにして四角形にまとめ、ラップに包んで、冷蔵庫で1時間以上やすませる。

## 3.切り分ける

① 生地をめん棒で3〜5mm厚さにのばし、ナイフで4.5×4.5cmに切り分ける。

② 箸の先をつき刺して、模様をつける。

● 竹ぐしやフォークでは焼く間に生地が盛り上がり、せっかくあけた穴がふさがってしまいます。この段階で大きめの穴をあけておくのが、ポイントです。

## 4.焼く

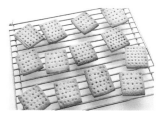

天板に間隔をあけて並べ、160℃のオーブンで10〜15分焼き、クーラーにのせて冷ます。(瀬尾)

● 食べごろと保存
冷めれば、食べられます。保存は密閉容器などに入れて、1週間くらい。湿気を吸ってしまったときは、150℃くらいのオーブンで乾燥焼きしてから食べます。

# ごまのクッキー
## *S e s a m e   C o o k i e s*

### 材料
### （直径4cmの菊型約40個分）

バター………100g
砂糖………100g
卵………1個
薄力粉………200g
卵白………少量
白炒りごま………大さじ3
黒炒りごま………大さじ3

●オーブン温度・160℃
●焼き時間・10〜15分 ●1個57kcal

●材料費Data
バター100g…¥120
砂糖100g…¥9.7
卵1個…¥9.7
薄力粉200g…¥19.4
炒りごま大さじ6…¥40.2

**20個 ¥100**

## 1.下準備をする

①バターは室温にもどす。
②天板にオーブンペーパーを敷く。
③焼くまでに、オーブンを160℃に温める。

●おいしさのプロフィール
白と黒の炒りごまをたっぷりふりかけて焼いた、香ばしいクッキー。歯ごたえのあるサクサク感がおいしい。

●食べごろと保存
冷めれば、食べられます。保存は密閉容器などに入れて、常温で1週間くらい。湿気を吸ってしまったときは、150℃くらいのオーブンで乾燥焼きしてから食べます。

## 2.生地を作って、型で抜く

①アーモンド・サブレを参照してバターを練り、砂糖、溶き卵、薄力粉の順に加えて生地を作り、冷蔵庫で1時間以上やすませてから、軽く打ち粉をふりながらめん棒で3mm厚さにのばし、卵白を刷毛で塗る。
●生地は½〜⅓量に分けてのばしたほうが、天板に1回に並べられる量ずつ形作れます。残った生地は冷蔵庫に入れて、焼く直前にのばすようにします。生地をのばすとき、下にオーブンペーパーを敷いておくと、あと始末がラクです。

②白ごまと黒ごまをびっしりとふりかける。

③めん棒で軽くおさえて、ごまを生地になじませる。

④生地に型をまっすぐに押しつけて、1個ずつ抜く。

⑤いくつか抜くごとに、型の下の部分を打ち粉につけてまぶす。
●打ち粉（強力粉）をつけると、生地を抜いたときに生地がこびりつかず、きれいに抜けます。残った生地はまとめて同様にしてください。

## 3.焼く

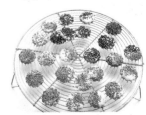

天板に間隔をおいて並べ、160℃のオーブンで10〜15分焼き、クーラーにのせて冷ます。（瀬尾）

# 全粒粉のビスケッ

## *Whole Wheat Biscuits*

### 1.下準備をする

①バターは室温にもどす。
②全粒粉はめの粗いざるなどでふるう。
③牛乳、ベーキングソーダ、塩はよく混ぜあわせる。
④天板にオーブンペーパーを敷く。
⑤焼くまでに、オーブンを160℃に温める。

### 2.生地を作る

①ボールにバターを入れてハンドミキサーで練り、クリーム状になったらブラウンシュガーを加え混ぜる。

③ポロポロ状になったら牛乳＋ベーキングソーダ＋塩を加え、ゴムべらでザッとあわせたら、ひとまとめにしてラップで包み、冷蔵庫で1時間以上やすませる。

②全粒粉をふるいながら加え、ハンドミキサーで混ぜあわせる。

④生地をビニール袋に入れて、めん棒で3～4mm厚さにのばし、さらに冷蔵庫に1時間入れて冷やし固める。

### 3.切り分けて、焼く

①生地を天板にのせて、パイカッターなどで10等分の筋を入れる。

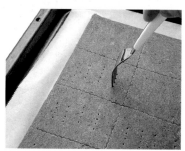

②1個ずつにフォークで穴をあける。

③160℃のオーブンで20分焼いたら、一度とりだして裏返し、150℃で10分焼き、クーラーにのせて冷まし、温かいうちに筋に沿って割る。(本間)

●食べごろと保存
冷めれば、食べられます。保存は密閉容器などに入れて、1週間くらい。湿気を吸い込んでしまった場合は、150℃くらいのオーブンで乾燥焼きしてから食べます。

## 材料
### （4×8cm角のもの10個分）

バター………40g
ブラウンシュガー………35g
全粒粉………115g
⎧ 牛乳………大さじ2
⎨ ベーキングソーダ………小さじ⅙
⎩ 塩………少量

● オーブン温度と焼き時間・160℃で20分
　150℃に落として10分
● 1個82kcal

● 材料費Data
バター40g…¥48
ブラウンシュガー35g…¥14
全粒粉115g…¥36.8
牛乳大さじ2…¥4.5

9個
¥100

● おいしさのプロフィール
栄養豊富な、いわゆるグラハム・ビスケット。
このまま食べて、素朴な味を楽しむほか、
チーズケーキの台にも使えます。

# ホワイトチョコレート風味のフィナンシエ

## *Financiers au Chocolat Blanc*

### 材料
### （直径3cmのもの12個分）

- 卵白………1個分
- 砂糖………25g
- アーモンドパウダー………20g
- 薄力粉………20g
- バター………40g
- ホワイトチョコレート………30g
- 好みでアーモンドスライスやドライクランベリー………各少量

- ●オーブン温度・170℃　●焼き時間・12分　●1個65kcal

- ●材料費Data
- 卵白1個分…¥9.7
- 砂糖25g…¥2.4
- アーモンドパウダー20g…¥19.6
- 薄力粉20g…¥1.9
- バター40g…¥48
- ホワイトチョコレート30g…¥57

**9個 ¥100**

● おいしさのプロフィール
ホワイトチョコレートを溶かして焼き込むので、焦がしバターとアーモンドの風味にミルキーな風味が加わって、おいしさの三重奏を味わえます。ここではプチ・マフィン型を利用して焼きましたが、フィナンシェ型があればそちらで。

## 1.下準備をする

①プチマフィン型にバターを薄く塗って強力粉をふり、余分な粉を落とす。

②ホワイトチョコレートは50℃の湯せんで溶かし、使うまで冷めないようにしておく。

③焼くまでに、オーブンを170℃に温める。

## 2.焦がしバターを作る

小さい鍋にバターを入れて火にかけ、溶けたらときどき混ぜ続け、薄茶色に色づいたら、火からおろす。茶こしなどでこして、60℃くらいの湯せんにかけ、使うまで冷めないようにしておく。

## 3.生地を作る

①ボールに卵白と砂糖を入れてホイッパーでほぐしたら、粉類を加えてよく混ぜ、温かい焦がしバターを加えてよく混ぜあわせる。

②ホワイトチョコレートを加え、よく混ぜあわせる。

## 4.型に入れて、焼く

①生地をスプーンで型の半分より少し少なめに入れ、好みでアーモンドスライスやドライクランベリーを埋めるように飾る。

●フィナンシェ型を使う場合は、型の七分目まで入れてください。

②170℃のオーブンで約12分焼き、焼き上がりをすぐ型からはずし、クーラーの上で冷ます。（本間）

●食べごろと保存
焼き立てはカリッ、次の日はしっとりした食感を味わえます。保存はラップに包んで、常温で3〜4日。

### 1.下準備をする

①黒砂糖とココナッツはあわせて、ふるう。

●ココナッツはファインと呼ばれる、ごく細かい粒状のタイプ。黒砂糖はサラサラのタイプを使用。手に入らない場合はブラウンシュガーや三温糖を使ってください。

②天板にオーブンペーパーを敷く。
③焼くまでに、オーブンを100℃に温める。

### 材料
### （2.5cm長さのもの40〜45個分）

| 卵白………50g |
| 砂糖………50g |
| 黒砂糖………30g |
| ココナッツ（ファイン）………20g |
好みでふりかけ用のココナッツ（ファイン）………少量

● オーブン温度・100℃
● 焼き時間・90分
● 1個11kcal

●材料費Data
卵白50g…¥0
砂糖50g…¥4.9
黒砂糖30g…¥10.5
ココナッツ20g…¥16.5

**45個 ¥32**

### 2.生地を作る

①油気も水気もついていないボールに卵白を入れ、途中砂糖を加えながら、ハンドミキサーでしっかりした状態まで泡立てる。（詳しくは、P16参照）

②黒砂糖＋ココナッツを加え、ゴムべらで混ぜあわせる。

### 3.形作って、焼く

①生地をスプーンですくい、天板に間隔をあけて、丸く落とす。

②1個ずつにココナッツを少量ふりかける。

③100℃のオーブンで1時間30分焼き、紙ごとクーラーの上にのせて冷ます。（本間）

# ココナッツと黒砂糖のメレンゲ
## *Meringues au Noix de Coco*

● おいしさのプロフィール
お菓子作りをすると、ついつい残ってしまう卵白を利用したお菓子。口に入れると溶けてしまう軽さがおいしさで、黒砂糖とココナッツの風味がアクセントになっています。天板が小さい場合は、半量でお作りください。

● 食べごろと保存
冷めれば、食べられます。保存は密閉容器に乾燥剤と一緒に入れて、常温で2週間くらい。湿気を吸ってしまった場合は、100℃のオーブンで乾燥焼きしてから食べます。

## 材料
### （直径4cmのもの10個分）

生地

- 卵白⋯⋯⋯2個分
- 塩⋯⋯⋯少量
- レモン汁⋯⋯⋯小さじ⅛
- 砂糖⋯⋯⋯30g
- アーモンドスライス⋯⋯⋯60g
- 粉砂糖⋯⋯⋯25g
- 薄力粉⋯⋯⋯10g

粉砂糖⋯⋯⋯適量

キャラメルクリーム

- 砂糖⋯⋯⋯50g
- 生クリーム⋯⋯⋯大さじ3

- ●オーブン温度・180℃
- ●焼き時間・12分
- ●1個104kcal

●材料費Data

6個
¥100

- 卵白2個分⋯¥19.4
- 砂糖80g⋯¥7.8
- レモン汁小さじ⅛⋯¥1
- アーモンドスライス60g⋯¥53.4
- 粉砂糖25g⋯¥9
- 薄力粉10g⋯¥1
- 生クリーム大さじ3⋯¥58

●おいしさのプロフィール

お店やさんのものと違って、型を使わず、スプーンで落として焼き上げます。焼き上がりが冷めたら、2個1組にして間にキャラメルクリームをサンド。自慢の我が家の味になるはずです。

# ...ームのダコワーズ

*Dacquoises au Crème Caramel*

## 1.下準備をする

①フードプロセッサーにアーモンドスライスと粉砂糖、薄力粉を入れて、アーモンドを粉状にする。フードプロセッサーがない場合は、アーモンドパウダーを使い、あわせてふるう。
②天板にオーブンペーパーを敷く。
③焼くまでに、オーブンを180℃に温める。

## 2.生地を作る

①油気も水気もついていないボールに卵白と塩、レモン汁を入れ、途中で砂糖を加えながら、しっかりとしたつやのあるメレンゲを作る。(詳しくはP16参照)
●冷凍しておいた卵白を使う場合は80gをとりだし、室温でもどしてから使ってください。

②メレンゲに粉状にしたアーモンドスライス＋粉砂糖＋薄力粉を加え、ゴムべらで混ぜあわせる。
●全体になじむようにしっかり混ぜあわせますが、混ぜすぎるとダレてしまうので、気をつけてください。

## 3.形作って、焼く

①生地を大きめのスプーンですくって、指で手伝いながら、天板の上に形よく落とす。
●天板は2枚用意して、1枚に10個をそれぞれ間隔をとって並べます。

②粉砂糖を茶こしなどでふり、さらにもう1回重ねてふる。
●粉砂糖は、1回だけだと生地になじんで溶けてしまい、効果がありません。

③180℃のオーブンで12分焼き、ペーパーごとクーラーの上におき、冷めてからペーパーからはずす。

## 4.キャラメルクリームを作る

①火にかけられるステンレス製のメジャーカップや小さな鍋に砂糖を入れて火にかけ、キャラメル化して色づいてきたら火を止め、生クリームを少しずつ加えて、そのつど混ぜあわせる。

②もう一度弱火にかけて、少し煮詰める。
●煮詰めすぎると、冷めたときにかたくなりすぎるので、気をつけてください。

## 5.クリームをはさむ

冷めたダコワーズを2個1組にして、間にキャラメルクリームを塗ってサンドする。（本間）

●食べごろと保存
クリームをはさんだら、食べられます。保存は密閉容器に乾燥剤と一緒に入れて、冷蔵庫に。2〜3日で食べ切るようにします。

# 切れで30〜100円

## 材料
### （直径18cmのタルト型1個分）

タルト生地
- バター（食塩不使用）‥‥‥‥75g
- 薄力粉‥‥‥‥125g
- 卵黄‥‥‥‥1個
- 水‥‥‥‥大さじ1
- 砂糖‥‥‥‥小さじ1
- 塩‥‥‥‥小さじ¼

スポンジケーキなど‥‥‥‥50g

フィリング
- りんご‥‥‥‥3個
- 砂糖‥‥‥‥大さじ3
- バター‥‥‥‥大さじ1
- シナモンパウダー‥‥‥‥少量

飾りのりんご‥‥‥‥1½個
グラニュー糖、バター‥‥‥‥各少量
好みでアプリコットジャム‥‥‥‥少量

●オーブン温度と焼き時間・180℃で20分焼
き、焦げるようなら170℃に落として20分
●8等分して1切れ250kcal

●材料費Data **1切れ ¥51**
バター88g‥¥105.6
薄力粉125g‥¥12.1
卵1個‥¥9.7
スポンジケーキ50g‥¥10.6
りんご4½個‥¥270
砂糖大さじ3⅓‥¥3.2

●おいしさのプロフィール
りんごのおいしさを味わうタルトです。
タルト生地も、りんごの味を生かせるように砂糖分を少なめにして、
サクサクに焼き上がる配合にしました。

*T a r t e   a u x   P o m m e s*

# りんごのタルト

## 1.下準備をする

①生地用のバターは室温にもどす。飾り用のバターは小切りにして、冷やし固める。

②小さなボールに水と砂糖、塩を入れて溶かし混ぜ、卵黄を加えて混ぜあわせる。

③焼くまでに、オーブンを180℃に温める。

## 2.タルト生地を作る

①ボールにバターを入れ、ハンドミキサーでクリーム状に練り混ぜる。

②薄力粉をふるい入れ、ハンドミキサーで混ぜて、あずきくらいの粒状にする。

③水＋砂糖＋塩＋卵黄を加え、ゴムべらで混ぜあわせる。

④円形にまとめ、ラップに包んで、冷蔵庫で3時間以上やすませる。

③しんなりしたら火からおろし、シナモンパウダーをふって、冷ます。

# 3.フィリングを作る

①りんごは皮をまだらにむいて、縦半分に切り分け、芯をくりぬいてから、縦4〜6等分に切り分ける。

●りんごは紅玉があります。手に入らない場合はふじやサンふじを使い、レモン汁大さじ1を加えて酸味を補ってください。
●くりぬき器がない場合は、ナイフで芯の部分を切りとってください。

②りんごに砂糖をまぶしてから、鍋かフライパンにバターを溶かした中に入れ、強めの中火で炒める。

# 4.生地をのばす

①タルト生地に打ち粉をふり、めん棒をあてて前後にころがしながら、のばしていく。

●生地が冷え固まって、割れてしまうようなら、めん棒でたたいて、のばしやすい状態にしてください。

②ある程度のばしたら、オーブンペーパー2枚の間にはさんで、タルト型よりひとまわり大きい円にのばす。

## 5.型に敷く

①生地をめん棒に巻きつけて、型の上に移動し、型の端から広げるようにしてのせる。

②まず中心の部分を沿わせ、次に縁の部分に沿わせながら敷き込む。

③左親指で生地の側面を内側からおさえ、右親指で縁からはみでている生地を型の縁に押しつけるようにして切り落とす。

●ナイフで切り落としてもかまいません。

④フォークで底一面に穴をあけてから、冷蔵庫に1時間入れてやすませる。

## 6.フィリングを詰める

①タルト生地の底に、スポンジケーキの残りなどを適当に切って、敷き込む。

●スポンジケーキはりんごからしみでる汁気を吸わせるために敷きます。ないときは、バターケーキの残りやブリオッシュをほぐして使います。

②炒めたりんごを汁ごと、同心円状に並べて詰める。

●同心円状に並べるのは、切り分けたときの切り口がきれいだからです。

# 7.りんごを飾る

①飾り用のりんごは、皮をむいて縦半分に切って芯をくりぬいてから、横2mm厚さの薄切りにする。

②りんごのスライスを少しずらしながら、フィリングの上に外側から並べ、一周したら上に重ねて、全体をスパイラル状におおう。

③りんごの上全体にグラニュー糖をふりかけ、バターの小切りを散らす。

● 食べごろと保存
冷めたら、食べられます。保存はラップをかけて、常温で2日。150℃くらいのオーブンで温め直せば、タルトのサクッとした食感も戻ってきます。

# 8.焼く

①180℃のオーブンで40分焼き、粗熱がとれたら型からはずし、クーラーの上にのせて冷ます。食べる直前に好みでアプリコットジャムを塗って、てりをつける。(本間)

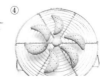

● タルト生地はフードプロセッサーでも作れます。
①フードプロセッサーに小麦粉と砂糖、塩を入れて攪拌したら、1cm角に切って冷蔵庫で冷やし固めておいたバターを加えて、そぼろ状になるまで攪拌する。
②卵黄と冷水(または卵)を加えて、生地が写真くらいにまとまるまで攪拌する。
③とりだしてひとまとめにして、ラップに包んで冷蔵庫で30分～1時間やすませ、あとは手で作った場合と同じように使う。
④型に敷いたあとで残った生地はめん棒で2～3mm厚さにのばして好みの型で抜き、170℃のオーブンで10分焼いて、クッキーとして楽しむ。

# バナナのプリンタ

### *Banana Clafoutis Tart*

## 1.下準備をする

①タルト生地はP38を参照して、バターに砂糖、塩、卵、薄力粉の順に加えて作る。
②タルト型にバターを薄く塗る。
③焼くまでに、オーブンを160〜170℃に温める。

## 2.タルトケースを焼く

①タルト生地はP143〜144を参照して型に敷き込み、冷蔵庫に1時間入れてやすませてから、底に22cm四方に切ったオーブンペーパーを敷いてあずきやタルトストーンを重石としてのせる。

②170℃のオーブンで15分空焼きしたら重石を紙ごとはずし、160℃に落として5分焼いたら、生地作りで残った卵を刷毛で塗ってさらに2分焼く。
●卵を塗って焼くのは、中に流すフィリングが水分を多く含むため、防水の役目をさせるためです。

## 3.フィリングを作る

ボールに卵を入れてほぐし、砂糖、生クリーム、薄力粉を加えながらホイッパーで混ぜあわせ、こして、30分ほどおいてなじませる。

## 4.キャラメルバナナを作る

①バナナは½本は1cm幅、残りを2cm幅の輪切りにする。

●食べごろと保存
粗熱がとれた頃がいちばんおいしい。保存はラップをかけて、冷蔵庫で2日。

②フライパンを火にかけて砂糖を熱し、キャラメル化したら2cm幅の輪切りにしたバナナとバターを入れ、バナナの両面にキャラメルをからめる。

## 5.タルトケースに詰める

空焼きしたタルトケースに2種類のバナナをまだらに散らして並べ、3のフィリングをひと混ぜしてから流し入れる。

## 6.焼く

160℃のオーブンで20〜25分焼き、粗熱がとれたら型からはずして冷ます。(本間)

ルト

## 材料
### （直径18cmのタルト型1個分）

タルト生地
- バター（食塩不使用）………60g
- 砂糖………30g
- 塩………少量
- 卵………⅓個
- 薄力粉………120g

残りの卵………少量

●オーブン温度と焼き時間・空焼きは170℃で15分、160℃で5分、卵液を塗って2分、本焼きは160℃で20〜25分
●8等分して1切れ242kcal

フィリング
- 卵………1個
- 生クリーム………100ml
- 砂糖………30g
- 薄力粉………小さじ2

キャラメルバナナ
- バナナ………2本
- 砂糖………大さじ1
- バター………5g

●材料費Data
バター60g…¥72
砂糖65g…¥6.3
卵2個…¥19.4
薄力粉120g…¥11.6
生クリーム100ml…¥129
バナナ2本…¥40

1切れ
¥35

●おいしさのプロフィール
ほんとうの名前は、
バナナ入りクラフティ・タルト。
サクサクのタルト皮とカスタード、
フレッシュバナナとキャラメリゼした
香ばしいバナナの、四重奏を楽しめます。

# 洋梨のアマンディ

*Amandine aux Poires*

## 材料（直径18cmのタルト型1個分）

パイ生地（約300g分）
- バター（食塩不使用）…75g
- 強力粉………50g
- 薄力粉………100g
- 塩………少量
- 冷水………50ml
- 卵黄………½個分

アーモンドクリーム
- 卵………1個
- 粉砂糖………50g
- アーモンドパウダー………60g
- 牛乳………大さじ½

洋梨のシロップ煮（缶詰）………6切れ

つやだしのジャム
- アプリコットジャム………大さじ2
- ラム酒………小さじ1

- ●オーブン温度・160℃
- ●焼き時間・35〜40分
- ●8等分して1切れ119kcal

### ●材料費Data

1切れ ¥56

バター75g…¥90
強力粉50g…¥5
薄力粉100g…¥9.7
卵2個…¥19.4
粉砂糖50g…¥18
アーモンドパウダー60g…¥58.8
牛乳大さじ½…¥1.1
洋梨のシロップ煮（缶詰）6切れ…¥200
アプリコットジャム大さじ2…¥38.1
ラム酒小さじ1…¥4.8

●おいしさのプロフィール
サクサクの歯ざわりがおいしいパイケースの中に、アーモンドクリームと洋梨のシロップ煮を焼き込みました。フランス風にタルト生地で作っても、おいしい。

## 1.下準備をする

①パイ生地は、粉類に7mm角に切ったバターを加えてすり混ぜてから、冷水＋卵黄を加えて手で混ぜあわせ、全体がしっとりしたらひとまとめにし、ラップで包んで冷蔵庫で1時間以上やすませる。
②洋梨のシロップ煮は汁気をきる。
③焼くまでに、オーブンを160℃に温める。
④アプリコットジャムを練り、ラム酒を加えて混ぜあわせる。

## 2.パイ生地を型に敷く

パイ生地をP143〜144のりんごのタルトを参照してタルト型に敷き込み、底一面にフォークで穴をあける。

## 3.アーモンドクリームを作る

ボールに卵を入れてホイッパーでほぐし、粉砂糖、アーモンドパウダー、牛乳の順に加えてよく混ぜあわせ、なめらかな状態にする。

## 4.型に入れる

①パイ生地を敷き込んだタルト型にアーモンドクリームを流し込む。

②洋梨のシロップ煮を放射状に並べ入れる。

## 5.焼く

160℃のオーブンで35〜40分焼き、粗熱がとれたら型からはずし、つやだしのジャムを刷毛で塗る。（瀬尾）

●食べごろと保存
冷めたら、食べられます。保存はラップをかぶせて常温におき、2〜3日で食べ切ります。

## 材料
### （直径18cmの丸型1個分）

{ ビターまたはスイートチョコレート……180g
{ バター………90g
卵黄………3個
薄力粉………30g
{ 卵白………3個分
{ 砂糖………45g
好みでココアパウダーやハーブ…各少量

●オーブン温度・160℃
●焼き時間・25～35分
●8等分して1切れ276kcal

●材料費Data
チョコレート180g…¥315
バター90g…¥108
卵3個…¥29.1
薄力粉30g…¥2.9
砂糖45g…¥4.4

1切れ
¥57

●おいしさのプロフィール
チョコレートのおいしさをストレートに味わえる、シンプルな配合のケーキです。できればトロッとした舌ざわりの半焼きで味わってほしいと思います。

# ガトー・ショコラ

*Gâteau Chocolat*

## 1.下準備をする

①チョコレートがブロック状の場合は、細かく刻む。
②湯せん用の湯をわかす。
③型の底と側面に紙を敷く。（詳しくはP103参照）
④焼くまでに、オーブンを160℃に温める。

## 2.生地を作る

①大きめのボールにチョコレートとバターを入れ、約50℃の湯せんにあててゆっくり溶かす。

②卵黄を1個ずつ加え、ホイッパーでよく混ぜあわせる。

③薄力粉をふるいながら加え、混ぜあわせる。

④別の油気も水気もついていない大きめのボールに卵白を入れ、途中砂糖を加えながら、ハンドミキサーで泡立て、つやのある、かたいメレンゲを作ったら（P139参照）、③に3回に分けて加え、混ぜあわせる。

## 3.型に入れて、焼く

①生地を型の中心から落として、全体に平均に広げる。

②160℃のオーブンで25〜35分焼き、粗熱がとれたら型からはずし、クーラーの上で冷ます。

③盛りつける時に、好みでココアパウダーをふり、ハーブを飾る。（本間）

●食べごろと保存
まだ温かいうちから食べられますが、冷めてからのほうがきれいに切れます。焼いた日は軽い口あたり。次の日はしまってねっとりした口あたりになります。保存はラップで包んで常温で。プレゼントにするときは35〜40分かけて、しっかり焼いたほうが形くずれする心配がなく、いいかもしれません。

# ベークド・チーズケ

### *New York-Style Cheesecake*

## 1.下準備をする

①クリームチーズとバターは室温にもどす。

②ヨーグルトはコーヒーのフィルターなどを利用して、前の日から水気をきっておき、150gを用意する。

③バニラビーンズは種をしごき、砂糖と一緒にしておく。手に入らない場合は入れなくてもよい。

④型は底をはずせるタイプを使い、底と側面に紙を敷き、アルミホイルを2枚重ねたもので外側をおおう。

⑤湯せん用の湯をわかす。

⑥焼くまでに、オーブンを150℃に温める。

## 2.底生地を作って、型に敷く

①フードプロセッサーに全粒粉ビスケットとバター20g、シナモンパウダーを入れて細かく砕き、しっとりした状態にする。

●フードプロセッサーがない場合は、ビスケットをポリ袋などに入れて上からめん棒などでたたいて細かく砕いてから、バターとシナモンパウダーを混ぜあわせてください。

②型の底に入れて、コップの底などで押し固めてから、冷蔵庫に入れて冷やし固める。

## 3.チーズ生地を作る

①ボールにクリームチーズを入れてハンドミキサーかホイッパーでクリーム状にしたら、砂糖とバニラビーンズ、バター、ほぐした卵と卵黄、ヨーグルト、薄力粉の順に加え、そのつど混ぜあわせる。

②こしながら型に流し入れ、同時にバニラのさやをとり除く。

## 4.焼く

①型を天板にのせ、沸とうさせた湯を型の2cmくらいのところまで注ぐ。

●このとき天板にふきんやペーパータオルを敷いておくと、火が均一に通ります。

②150℃のオーブンで45分焼いたら、オーブンに入れたまま冷まし、冷めたらラップをして冷蔵庫で冷やす。（本間）

●食べごろと保存
冷やしたら食べられますが、次の日がおいしい。保存はラップをかけて、冷蔵庫で3日。

## 材料
### （直径18cmの底をはずせる丸型1個分）

底生地
- 全粒粉ビスケット（P134参照）…90g（5枚）
- バター………20g
- シナモンパウダー………小さじ¼

チーズ生地
- クリームチーズ………225g
- 砂糖………65g
- バニラビーンズ………2cm
- バター………20g
- 卵………1個
- 卵黄………1個
- 薄力粉………大さじ1
- ヨーグルト（無糖）………400g

好みでいちごソース………適量

●オーブン温度・150℃
●焼き時間・45分
●8等分して1切れ260kcal

●材料費Data
全粒粉ビスケット90g…¥51.7
クリームチーズ225g…¥225
砂糖65g…¥6.3
薄力粉人さじ1…¥1
バニラビーンズ2cm…¥40
バター40g…¥48
卵2個…¥19.4
ヨーグルト（無糖）400g…¥120

1切れ
¥64

●おいしさのプロフィール
シナモンとバニラの風味をきかせた、ニューヨーク風チーズケーキ。ヨーグルトを組みあわせるので、さっぱりした味わいに仕上ります。食べるときに、いちごを小さく切って砂糖をふりかけて作ったいちごソースをかけると、さらにおいしく味わえます。

# イドダウンケーキ
## *Apple Upside-Down Cake*

## 材料
### （直径18cmの丸型1個分）

キャラメルソース
- 砂糖………100g
- 湯………大さじ4

りんご………1個
レモン汁………大さじ1

スポンジ生地
- 卵………2個
- 砂糖………110g
  - 薄力粉………110g
  - ベーキングパウダー………小さじ1
- バター………110g

●オーブン温度・170℃　●焼き時間・40分
●8等分して1切れ287kcal

●材料費Data

| | |
|---|---|
| りんご1個…¥60 | |
| レモン汁大さじ1…¥8.3 | |
| 卵2個…¥19.4 | **1切れ** |
| 砂糖210g…¥20.3 | **¥31** |
| 薄力粉110g…¥10.6 | |
| バター110g…¥132 | |

●おいしさのプロフィール
ほんのり苦味のあるキャラメルと甘酸っぱいりんご、バターがたっぷり入ったコクのあるスポンジケーキとの組みあわせ。プレーンな紅茶にあいます。

### 1.下準備をする

①りんごは皮をむいて芯をとり、薄いくし形に切って、レモン汁をふりかける。
②薄力粉とベーキングパウダーはあわせて、ふるう。
③バターは電子レンジまたは約50℃の湯せんにかけて溶かす。
④型の側面にバターを塗って小麦粉をふり、底に直径18cmに切ったオーブンペーパーを敷く。
⑤焼くまでに、オーブンを170℃に温める。

### 2.キャラメルを型に流して、りんごを並べる

①キャラメルソースはP67を参照して、やや薄めに色づけて作り、型の底に適量を流して全体に広げ、冷まし固める。

②りんごを少しずつ重ねながら、型に沿って放射状に並べる。

### 3.生地を作る

①ボールに卵を入れてハンドミキサーで泡立て、もったりしてきたら砂糖を3回に分けて加え、ビーターですくうと文字が書けるくらいまでしっかり泡立てる。

②薄力粉＋ベーキングパウダーを3回に分けて加え、ゴムべらで混ぜあわせる。

③溶かしバターを少しずつ加え、混ぜあわせる。

### 4.型に流して、焼く

型に生地を流して、170℃のオーブンで35〜40分焼き、熱いうちにクーラーの上に返して型から抜き、冷ます。（瀬尾）

●食べごろと保存
焼き上がったら、すぐ食べられます。保存はラップに包んで、常温で3日。

# かぼちゃのスフレ

### Pumpkin Souffle Cake

## 材料
### （直径18cmの丸型1個分）

かぼちゃ‥‥‥‥1/2〜1/3個
ブラウンシュガー‥‥‥‥50g
卵黄‥‥‥‥4 1/2個
オレンジジュース（果汁100%）‥大さじ1
サワークリーム‥‥‥‥60g
薄力粉‥‥‥‥15g
┌ 卵白‥‥‥‥2個分
│ 砂糖‥‥‥‥45g
└ レモンの絞り汁‥‥‥小さじ1/8

●オーブン温度・160℃
●焼き時間・30分
●8等分して1切れ176kcal

●材料費Data

**1切れ ¥51**

かぼちゃ1/3〜1/2個‥¥200
ブラウンシュガー50g‥¥20
卵5個‥¥48.5
オレンジジュース（果汁100%）大さじ1‥¥7.5
サワークリーム60g‥¥126
薄力粉15g‥¥1.5
砂糖45g‥¥4.3

●おいしさのプロフィール
ゆっくり火を通して引きだした、かぼちゃの自然でやさしい味わいを楽しむケーキ。プリンともパンプキンパイとも違う、少し軽めの食感も魅力です。好みで盛りつけにサワークリームを添えて、シナモンパウダーをふっても。

## 1.下準備をする

①型の底と側面に紙を敷き込む。
②焼くまでに、オーブンを160℃に温める。

## 2.かぼちゃを裏ごしする

かぼちゃは大きめのくし形に切り、170℃のオーブンで30分焼いてから、皮と種を除いて裏ごしする。このうち225gを使う。

●かぼちゃの水分をなるべく除きたいので、オーブンで焼きます。

## 3.生地を作る

①ボールにかぼちゃの裏ごし225gを入れて、熱いうちにブラウンシュガーを混ぜたら、卵黄、オレンジジュース、サワークリームの順に加えて混ぜあわせる。

②薄力粉をふるいながら加え、混ぜあわせる。

③別の油気も水気もないボールに卵白とレモン汁を入れて、途中砂糖を加えながら、つやのあるしっかりした状態まで泡立てたら（詳しくはP139参照）、②のボールに加え、混ぜあわせる。

## 4.型に入れて、焼く

①生地を型の中心から流し入れて、全体に広げて表面を平らにする。

②好みでかぼちゃの皮を丸く抜いて表面に飾り、160℃のオーブンで約30分焼いて、粗熱がとれたら型をはずし、クーラーの上で冷ます。（本間）

●飾りのかぼちゃは乾くとかたくなってしまうので、すぐ食べないときはアプリコットジャムを塗っておきます。

● 食べごろと保存
粗熱がとれたら食べられますが、冷めて味がなじんでからのほうがおいしい。保存はラップに包んで、常温または冷蔵庫で2日。

# キャロットケーキ

## Healthy Carrot Cake

## 材料
## （15×7.5×4cmのパウンド型2個分）

バター（食塩不使用）………85g
砂糖………90g
卵………2個
にんじん………1本
ブランデー………小さじ2
牛乳………大さじ2
薄力粉………90g
ベーキングパウダー………小さじ2
おから………200g

●オーブン温度・170℃　●焼き時間・35分
●6等分して1切れ144kcal

●材料費Data
バター85g…¥102
砂糖90g…¥8.7
薄力粉90g…¥8.7
おから200g…¥100
卵2個…¥19.4
にんじん1本…¥50
ブランデー小さじ2…¥50
牛乳大さじ2…¥4.5

**1切れ ¥29**

●おいしさのプロフィール
にんじんとおからが入り、しっとりした舌ざわりがおいしいケーキ。切り分けると、オレンジ色の切り口も美しく、食欲をそそります。

## 1.下準備をする

①バターは室温にもどす。
②薄力粉とベーキングパウダーはあわせて、ふるう。
③にんじんは皮をむいてすりおろし、100gを使う。

④おからは焦げつかないタイプの鍋やフライパンでサラサラになる（水分が飛ぶ）までから炒りしてから、100gを使う。
⑤金属製の型を使う場合は、型にバターを薄く塗って粉をふり、余分な粉を落とす。（詳しくはP103参照）
⑥焼くまでに、オーブンを170℃に温める。

## 2.生地を作る

①ボールにバターを入れ、途中で砂糖を加えながら、ハンドミキサーで白っぽくなってもったりするまで練ったら、卵を1個ずつ加えてさらに練ってから、にんじんのすりおろしを加える。

②ブランデー、牛乳を加えて、ゴムべらで混ぜあわせる。

③薄力粉＋ベーキングパウダーの⅓量をふるい入れ、混ぜあわせる。

④残りの粉類とおからを交互に2回に分けて加え、混ぜあわせる。

## 3.型に入れる

生地を型に入れ、表面を平らにしたら、中央に縦に筋を入れる。

## 4.焼く

170℃のオーブンで35分焼いて、金属製の型の場合は粗熱がとれたら型をはずし、クーラーの上で冷ます。（瀬尾）

●食べごろと保存
冷めたら食べられますが、少しおいて味がなじんでからのほうがおいしい。保存はラップに包んで、常温で3～4日。

## 「人気のお菓子」お菓子制作 P.5〜P.98

### 田辺泰子 (たなべ・やすこ)

料理研究家・藤野真紀子氏のもとで約15年、
アシスタント及び製菓基礎コースの講師を務める。
2009年現在、少人数制のお菓子教室CHOCOLATE CINNAMONを主催。
ほかにレストラン、カフェのデザート開発や制作、
雑誌・書籍などへの寄稿などを手掛ける。
プライベートでは、こよなく愛するワンコ（犬）に関するボランティアなど。
教室の問い合わせ：(03)3727-3085　カーニャまで。

## 「人気の100円ケーキ」お菓子制作 P.99〜P.159

### 瀬尾幸子 (せお・ゆきこ)

子供の頃からの料理好き。大学在学中は陶芸を学ぶ。
卒業後、料理研究家のアシスタントとなり、経験を積む。
独立後は和食、イタリアン、エスニックからお菓子までレパートリーは広く、
テレビや雑誌での料理紹介のほか企業向けの料理開発やメニュー提案、
CF撮影のための料理コーディネートなど、
人気料理研究家として幅広く活躍。著書に「おつまみ横丁」
「もう一軒　おつまみ横丁」（池田書店）、「旨い！おつまみ」（学習研究社）、
「シンプル鍋100」「シンプルスープ100」（サンリオ）、
「たまごのうふふ」（コロナブックス）、
「野菜のお菓子、果物のお菓子」（グラフ社）など多数。

### 本間節子 (ほんま・せつこ)

子供の頃にお菓子やパンを手作りしてくれた母親の影響で、
中学生の頃からお菓子を作るようになる。二十歳の頃から製菓教室や講習会に
参加し始め、洋菓子店での見習いも経験。1999年季節の焼き菓子を、
からだにやさしいナチュラルな素材で作ることを提案する
atelier h（アトリエ・エイチ）を始める。2000年以後少人数のお菓子教室、
セミナーでのお菓子作りの講習、雑誌やテレビなどでの紹介などに活動を広げる。
日本茶にも興味を持ち、インストラクターの資格をとり、和と洋を融合するような
やさしい味のお菓子を作っていきたいと思っている。著書に「人気のおやつ菓子」
「シンプルですが、おいしいお菓子焼いています」（学習研究社）、
「お菓子を焼いてお茶をいれて」（筑摩書房）、「和風のおやつ」
「プレゼントチョコ」（雄鶏社）など多数。

## STAFF

アートディレクション：渡辺正信（エムクリエイト）
デザイン：堀ノ内美子、信田千絵（エムクリエイト）
撮影：山本正樹、落合里美
スタイリング：佐々木カナコ
カロリー計算：滝口敦子
企画構成・編集：庄司 泰 編集企画事務所